Ian Mark

Monsterjagen für Anfänger

© privat

Ian Mark ist Autor und angehender Monsterjäger. Er lebt mit seiner Familie und zwei Katzen in Nordirland. Ian überlegt oft, ob das beste Buch, das je geschrieben wurde, von Virgina Woolf stammt oder von Enid Blyton. Sein eigenes Werk, so glaubt er, liegt irgendwo zwischen diesen beiden Polen.

Louis Ghibault ist ein Illustrator und Animator aus Belgien. Wenn er nicht gerade Kunst macht, sammelt er Bücher und botanische Drucke oder studiert Astronomie, Botanik, Geschichte, Zoologie und natürlich MONSTEROLOGIE.

Maren Illinger hat in Frankfurt und Bordeaux Literaturwissenschaften studiert und in verschiedenen Verlagen gearbeitet. Seit 2007 übersetzt sie Bücher aus dem Englischen und Französischen.

Ian Mark

MONSTERJAGEN

FÜR ANFÄNGER

Aus dem Englischen
von Maren Illinger

Mit Illustrationen
von Louis Ghibault

dtv

Deutsche Erstausgabe
Text copyright © 2021 Ian Mark
Illustrationen copyright © Louis Ghibault
Titel der englischen Originalausgabe: ›Monster Hunting
for Beginners‹, 2021 erschienen bei Farshore, an imprint of
HarperCollinsPublishers,
1 London Bridge Street, London SE1 9GF
© für die deutschsprachige Ausgabe:
2023 dtv Verlagsgesellschaft mbH & Co. KG, München
Translated under licence from HarperCollins Publishers Ltd
Das Werk ist urheberrechtlich geschützt.
Jede Verwertung ist nur mit Zustimmung des Verlages zulässig.
Das gilt insbesondere für Vervielfältigungen,
Übersetzungen und die Einspeicherung und Verarbeitung
in elektronischen Systemen.
Umschlaggestaltung und -illustrationen: Louis Ghibault
Gesetzt aus der Palatino
Satz: Gaby Michel, Hamburg
Druck und Bindung: GGP Media GmbH, Pößneck
Printed in Germany · ISBN 978-3-423-76462-9

Das Erste zuerst

Monsterjagen ist nicht so leicht, wie es aussieht.

Ich muss es wissen.

Ich heiße Jack, und ich bin ein Monsterjäger.

Schon klar, was ihr jetzt denkt: Der Knirps kann doch kein Monsterjäger sein! Der kommt doch nicht mal gegen einen Schnupfen an, geschweige denn gegen irgendwelche blutrünstigen Bestien, die man eher aus Schauergeschichten kennt als aus dem echten Leben.

Das höre ich STÄNDIG.

Ich bin klein für mein Alter.

Ich trage eine Brille.

Ich bin tollpatschig.

Ich bin kein Muskelprotz.

Meine Haare sind zu lang und fallen mir immer im falschen Moment ins Gesicht.

Trotzdem stimmt es. Ich kann es beweisen. Hier kämpfe ich gegen einen Kraken. (Der Krake ist der links.)
Und hier versuche ich, einen drei-köpfigen Butzemann zu hyp-notisieren – mit nichts als einem Augapfel an einer labbrigen Spaghetti. (Die Einzelheiten wollt ihr

nicht wissen. Ich
kriege davon immer
noch Albträume.)

Und hier ringe
ich mit einem …
äh, ich weiß selbst
nicht genau, was
das ist. Irgendein
formloser Glibber
mit zu vielen Mäulern.*

Nicht alle Monster haben Namen. Das habe ich
ziemlich schnell festgestellt, nachdem ich den Job
angenommen habe. Außerdem habe ich gelernt,
dass man niemals »braves Hündchen« zu einem
schlecht gelaunten Höllenhund sagen sollte.

Deshalb renne ich auf
diesem Bild auch
so schnell.

---

* Wen es interessiert: Ich
  habe verloren. Es ist echt
  schwer, einen Glibber so
  lange festzuhalten, bis er
  sich geschlagen gibt.

So schnell, dass ich schon weg war, bevor das Bild gemacht wurde.

Sorry.

Aber ich greife vor. Man soll doch immer am Anfang anfangen. Die Regel habe ich schon gebrochen, trotzdem ist sie nicht schlecht. Also, noch mal von vorne.

Von vorne

Ich war nicht immer ein Monsterjäger.

Ganz am Anfang war ich ein Baby.* Mit vollen Windeln kann man nicht gegen Monster kämpfen.

Das gäbe eine gewaltige Sauerei.

Wenig später kam ich in die Schule. Da musste ich jeden Tag stundenlang still sitzen und das ABC lernen. Und die ganzen anderen Buchstaben, denn angeblich kommt man im Leben nicht weit, wenn man nur die ersten drei kennt.

Ich wurde sogar zu etwas gezwungen, was **schriftliche Division** heißt und in mindestens sieben Ländern als Foltermethode verboten ist.

Da blieb nicht viel Zeit zum Quatschmachen mit Klabautermännern.

---

* *Das sind die meisten am Anfang.*

9

Damals hatte ich noch nie ein Monster mit eigenen Augen gesehen (mit den Augen von jemand anderem übrigens auch nicht). Aber ich hatte gute Gründe zu glauben, dass es sie gab. Die anderen Kinder haben mich ausgelacht, wenn ich beteuerte, dass die Welt so voller Monster ist wie ein Käsefondue voller Käse. Mir war das egal.

Es machte mir nichts aus, in der Pause allein in meiner Ecke zu sitzen und sonderbare Wesen an die Ränder meiner Schulbücher zu kritzeln.

Irgendwie habe ich immer gewusst, dass ich für **Größeres** bestimmt bin. Das Leben musste doch mehr zu bieten haben als Schule und Hausaufgaben und Zimmeraufräumen!

Ich hatte **Appetit auf Abenteuer**.* Das Problem war nur, dass mir noch nie im Leben etwas Aufregendes passiert war.

Dafür gab es zwei Gründe.

Der erste hieß Dad.

Für einen Dad war er eigentlich gar nicht so übel. Ich musste mich nicht auf den Kopf stellen,

---

* *Appetit auf Würstchen im Schlafrock hatte ich auch, aber das tut hier nichts zur Sache.*

um mein Taschengeld zu bekommen, und er ging auch nie als Geburtstagsüberraschung mit mir zum Zahnarzt.

Er war nur einfach nicht besonders abenteuerlustig, das ist alles.

Dads mutigste Tat war, dass er donnerstags verschiedenfarbige Socken anzog. Er ließ mich nicht mal eine Schnecke als Haustier halten, weil er fürchtete, sie könnte mich beißen.

Dad machte sich wegen **ALLEM** Sorgen.

Das hatte mit dem zweiten Grund zu tun.

Der hieß Mum.

Sie war es, die mir **die Wahrheit über Monster** enthüllt hatte. Als ich noch klein war* erzählte sie mir immer Geschichten von den seltsamen, wunderbaren, grausigen Geschöpfen, die die geheimen Orte dieser Erde bevölkern.

Ganz besonders von Drachen. Mehr als alles andere sehnte ich mich danach, einen Drachen zu sehen.

Na ja, fast.

* *genauer gesagt, kleiner*

Am ALLERMEIS-
TEN sehnte ich
mich danach,
meine Mum wie-
derzusehen, aber
das ging nicht,
denn sie war
gestorben.

Hier ist mein Lieb-
lingsfoto von uns
dreien im Urlaub,
als ich noch ein
Baby war. (Es
wurde an einem
Donnerstag ge-
macht, wie man an Dads Socken erkennt.)

Manchmal werde ich traurig, wenn ich es an-
sehe, aber manchmal auch froh, denn es erinnert
mich an die Zeit, als sie noch da war.

Nach ihrem Tod hat Dad seinen Job* aufgegeben, um sich um mich zu kümmern. Er war das,

* _keine Ahnung, was er gemacht hat_

was Experten auf diesem Gebiet – besser bekannt als Kinder – eine **ziemliche Spaßbremse** nennen. Er hatte immer Angst, dass ich mir irgendwie wehtäte … oder Schlimmeres. Ich verstand ja, warum. Er hatte bereits Mum verloren und wollte nicht auch noch mich verlieren.

Schon klar!

Aber es war auch anstrengend. Ab und zu wollte ich einfach mal ein bisschen **durchdrehen**, und das geht nicht mit einem Dad, der einem ständig über die Schulter raunt: »Lauf nicht so schnell, Jack, sonst stolperst du über deine Schnürsenkel« oder »Setz dich nicht auf den Boden, Jack, sonst bekommst du Hämorriden.«*

Ich wusste noch nicht, dass mein langweiliges Leben, in dem ich in jeder langweiligen Minute jedes langweiligen Tages jedes langweiligen Jahres langweilige Dinge tat, schon bald alles andere als langweilig werden sollte.

---

* *Hämorriden sind fiese Dinger, die man am Hintern kriegen kann. Aus irgendeinem Grund sind Erwachsene davon überzeugt, dass sie schneller sprießen als Kresse auf nasser Watte, wenn man mal fünf Sekunden auf einem kalten Untergrund sitzt. Das lernen sie wohl in der Elternschule.*

Klopf, klopf

Der Tag, an dem sich alles änderte, begann wie
jeder andere auch. Wie gewöhnlich weckte mich
mein alter Glockenwecker. Wie gewöhnlich stöhnte
ich und zog mir das Kissen über den Kopf, in der
Hoffnung, noch fünf Minuten länger schlafen zu
können.

Exakt dreiunddreißig Sekunden später rief mich
Dad wie gewöhnlich zum Frühstück, und ich
wankte müde die Treppe hinunter.

Dann machte ich mich auf den Schulweg, nur
um von Dad zurückgerufen zu werden, weil ich
noch meinen Schlafanzug anhatte.*

Ich zog mir schnell etwas Richtiges an, flitzte

* *Das war zum Glück alles andere als gewöhnlich.*

zur Schule und hoffte, keinen Ärger zu bekommen, weil ich zu spät dran war.

(Bekam ich aber doch.)

In den nächsten Stunden wurde ich dreimal angeschrien, weil ich aus dem Fenster gestarrt und von Drachen geträumt hatte, während ich eigentlich lernen sollte, warum es an manchen Orten Vulkane gibt und an manchen nicht.*

Ich bekam noch mehr Ärger, als Stanley Jenkins, der vor kurzem zum Ober-Blödmann gewählt worden war, mir mitten beim Diktat einen Wurm hinten ins Hemd fallen ließ und ich mit einem lauten Schrei aufsprang.

Der Lehrer wollte wissen, was los war. Stanley Jenkins behauptete, ich hätte ihn darum gebeten, um meinen Schluckauf zu kurieren.

Der Lehrer, der ungefähr so blöd war wie Stanley Jenkins, glaubte ihm.

Als die Schulglocke mich erlöste, packte ich meine Tasche und rannte glücklich nach Hause. Es war Wochenende. Ich konnte es kaum erwarten,

---

* *Ich weiß es immer noch nicht. Wie gesagt, ich habe nicht aufgepasst.*

mich mit Dad und einer großen Portion Fisch &
Chips vor den Fernseher zu setzen, wie jeden
Freitagabend.

Problem Nr. 1: Als ich nach Hause kam, standen
keine Chips auf dem Tisch.

Problem Nr. 2: Auch kein Fisch.

Problem Nr. 3: Dad war auch nicht da.

Was bei genauerer Betrachtung die ersten beiden
Probleme erklärte.

Ich rief nach ihm.

Keine Antwort.

Ich suchte in jedem Zimmer.

Das Haus war leerer als Stanley Jenkins' Hirn.*

Das sah ihm gar nicht ähnlich.

Wirklich.

Überhaupt.

Nicht.

Dad wartete IMMER auf mich, wenn ich nach
Hause kam, und er stellte mir immer dieselbe
Frage: »Wie war es in der Schule?«**

Nicht wirklich. Das wäre unmöglich.
**Warum fragen Eltern das? Es ist halt Schule! Als würde da
je etwas Spannendes passieren.*

Ich versuchte, mir keine Sorgen zu machen, zog
die Schuhe aus und setzte mich auf den Teppich,
wo ich darauf wartete, dass Dad nach Hause kam.
Ich muss eingeschlafen sein, denn das Nächste,
woran ich mich erinnere, war ein lautes Klopfen,
das mich weckte. Es war schon fast dunkel.

»Dad?«, murmelte ich, sprang
auf und rieb mir verwirrt die
Augen. »Wo warst du
denn?«

Ich öffnete die Tür
und sah **DAS HIER**
draußen auf der
Türschwelle stehen.

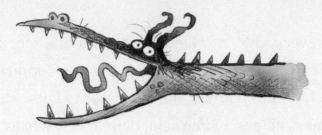

Wer da?

Ganz schön gruselig, was?

Sie behauptete, sie sei Tante Brunhilda.

Schlimmer noch, sie behauptete, sie sei MEINE Tante Brunhilda und gedenke hier einzuziehen, um sich um mich zu kümmern, ob es mir gefiel oder nicht.*

»Ich glaube nicht, dass ich eine Tante Brunhilda habe«, versuchte ich höflich zu erklären, weil man mir beigebracht hat, **Erwachsene höflich zu behandeln** – selbst wenn sie mich durch ihre Pilotenbrille anstarren, als wäre ich etwas Ekliges, das in den Teppich getreten worden ist und das nicht rausgeht, so fest man auch reibt. »Sonst hätte

* *Es gefiel mir nicht.*

Dad es erwähnt. Sind Sie sicher, dass Sie hier richtig sind?«

»Natürlich bin ich hier richtig, du widerlicher kleiner Quälgeist«, sagte sie. »Dein unterbelichteter Vater hat beschlossen, eine Weltreise zu machen, und mich gebeten, auf dich aufzupassen, bis er zurückkommt.«

»Aber …«, begann ich, weil das ganz und gar nicht zu Dad passte, und ich kannte ihn schließlich besser als sie. Ich kannte ihn besser als alle.

»Aber Rhabarber!«, schrie sie, weil einem sowieso niemand zuhört, wenn man klein ist und Brille trägt. »Wenn du weiter so rhabarberst, wirst du noch zum Gemüse! Halt die Klappe und geh mir aus den Augen. Von Kinderstimmen kriege ich Ohrenbluten.« Sie schob mich einfach beiseite, stapfte ins Haus, ohne sich die Schuhe abzutreten, und trampelte mir mit ihren furchterregenden schwarzen Nagelstiefeln auf die Zehen.*

Dann machte sie sich bei uns breit und verlangte, ich solle meine Sachen wegräumen, damit sie Platz

---

* Garantiert mit Absicht, weil ich nur Socken anhatte.

für ihre (echt gigantische) Nagelstiefelsammlung hatte.

Bald fühlte sich das Haus eher wie ihr Haus an als wie meins, und nach Zuhause überhaupt nicht mehr.

Tante Brunhilda war sehr streng. Sie bestand darauf, dass ich mit Messer und Gabel aß, auch wenn es Suppe oder Käse oder Zwiebelringe gab. Sie ließ mich keine Cartoons im Fernsehen schauen, sondern nur lange öde Dokus über Geschichte – und wenn sie gewusst hätte, dass ich die liebte, hätte sie mich nicht mal die gucken lassen.

Ich sah sie niemals lächeln, und einmal musste ich eine Stunde lang im dunklen Zimmer sitzen, weil ich gelacht hatte.

Von Witzen bekam sie Hautausschlag.

Dafür hatte sie sogar eine Bescheinigung vom Arzt.

Es war völlig unmöglich, dass Dad verreist war und mich mit dieser schrecklichen Person alleingelassen hatte, selbst wenn sie meine Tante war, was ich stark bezweifelte. Sie behauptete, sie hätte Beweise, aber sie zeigte sie mir nie.

Tante Brunhilda verbrachte den ganzen Tag damit, im Haus herumzuschnüffeln …

Schranktüren zu öffnen …

unter Betten zu schauen …

und im Garten zu buddeln.

Anscheinend suchte sie etwas, und ich beschloss herauszufinden, was.

Eine Woche nach Dads Verschwinden bekam ich dazu die Gelegenheit.

Hatschi!

Es war spät abends, ich lag im Bett und versuchte zu schlafen – was nicht leicht ist, wenn einem ungelöste Rätsel im Kopf herumwirbeln wie schmutzige Wäsche in der Waschmaschine –, als ich über mir ein Geräusch hörte.

Ich stand auf und schlich auf Zehenspitzen aus meinem Zimmer, kletterte die Leiter zum Dachboden hoch, hob die Luke an und spähte durch den Spalt.

Dort oben hatte Dad Mums Sachen verstaut, nachdem sie gestorben war. Er sagte, ich solle ihre Monstergeschichten vergessen und ein ganz normales Leben führen wie alle anderen auch. Das hatte mir nicht gefallen, aber was konnte ich schon machen?

Dad hatte den einzigen Schlüssel, und ich war leider gar nicht gut darin, Schlösser mit verbogenen Büroklammern zu knacken.*

Tante Brunhilda musste bei ihrer Hausdurchsuchung den Schlüssel gefunden haben.

Jetzt kroch sie auf Händen und Knien zwischen riesigen Kistenstapeln herum, während ganze Spinnenhorden bei ihrem Anblick in **blankem Entsetzen** die Flucht ergriffen, was ich ihnen nicht verdenken konnte. Sie riss jede Kiste auf, schleuderte wütend den Inhalt herum, wenn sie nicht fand, was sie suchte, und murmelte vor sich hin: »Wo ist es nur? Wo ist es nur?«

Mittlerweile wirbelte der Staub durch die muffige Luft, als wollte er sich in einen Flaschengeist verwandeln.

Ich bemühte mich sehr, nicht zu niesen.

Leider erfolglos.

Wenn es eins gibt, was einen garantiert zum Niesen bringt, dann der Versuch, nicht zu niesen. Meine Nase zuckte, als wäre ich ein Kaninchen,

---

* *Ich habe es oft genug versucht.*

was ich eindeutig nicht bin, wie ihr auf den Fotos sehen könnt.

Ich rieb sie einmal.

Ich rieb sie zweimal.

Beide Male atmete ich noch mehr Staub ein. Beim dritten Mal hatte meine Nase genug. Sie explodierte.*

Der Nieser war so heftig, dass Tante Brunhilda aufsprang. Natürlich stieß sie sich den Kopf an einem Dachbalken.

»Du!«, brüllte sie.

Sie griff in eine Kiste und schnappte sich das Erstbeste, was ihr in die Finger fiel. Zufällig war es ein langes silbernes Horn. Ich hatte keine Zeit, mich zu fragen, warum ein silbernes Horn, lang oder sonst wie, auf unserem Dachboden lag, bevor sie es nach mir schleuderte.

Ich konnte gerade noch die Luke schließen, sonst hätte das Horn mir die Brille von der Nase gerissen und den Kopf von den Schultern.

---

* *Zum Glück nicht so wie eine Bombe, sonst wäre das Dach weggeflogen.*

So schnell ich konnte rutschte ich die Leiter hinunter und rannte in mein Zimmer. Tante Brunhilda war mir **dicht auf den Fersen**. Mit hämmerndem Herzen schloss ich die Tür ab, und sie rüttelte an der Klinke und fauchte durchs Schlüsselloch: »Morgen früh kriege ich dich, Jack. Das kannst du mir glauben!«

Vermutlich hatte ich daher etwas **zwiespältige Gefühle**, als ich am nächsten Morgen (später als sonst, weil mein Wecker nicht geklingelt hatte) nach unten kam und in unserem Garten einen Oger vorfand, der drauf und dran war, Tante Brunhilda zu verspeisen.

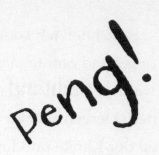

Peng!

Ich hatte noch nie
ein echtes Monster
getroffen (wenn
man Tante Brunhilda
nicht mitzählt, was
man wohl tun sollte).
Wenn ich also sage, dass
dieser Kerl das größte und gruse-
ligste Ungeheuer war, das ich je gesehen
hatte, bedeutet das nicht sonderlich viel.

Doch das war er jedenfalls. Seine Haut war grün
und pelzig wie neun Tage alter Schimmel.

Er hatte schreckliche gelbe Hauer, die so aussahen, als hätten sie noch nie von Zahnpasta gehört, geschweige denn, als wären sie in den letzten
hundert Jahren damit in Berührung gekommen,
und er trug eine Hose, die zu den Top Fünf der zer-

rissensten, schmutzigsten Hosen der Welt gehören musste.

Tante Brunhilda konnte den Oger sogar noch besser sehen als ich, denn er hielt sie in der Faust wie einen Schokoriegel und machte gerade den Mund auf, um ihr den Kopf abzubeißen, während sie zappelte, wild um sich trat und »Loslassen!« kreischte.

»Steh nicht rum! Tu was!«, schrie sie, als sie mich sah.

Wenn ich ehrlich bin (und das bin ich meistens), dann fand ich, dass es ihr eigentlich ganz recht geschah, gefressen zu werden. Der Oger tat mir sogar ein bisschen leid, weil jemand wie Tante Brunhilda ganz sicher üblere Bauchschmerzen ver- ursachte als ein roher Zwiebel- kuchen vor dem Schlafengehen.

Doch zu ihrem Glück bin ich keiner, der tatenlos zusieht, wenn ein Monster Menschen frisst, selbst wenn es übellaunige Tanten sind.

Ich rannte ins Haus und schnappte mir meinen Schulranzen vom Garderobenhaken. Den durchwühlte ich auf der Suche nach irgendetwas, womit man hungrige Riesenmonster bekämpfen konnte.

Kastanien – zu klein.

Stifte – nicht schlecht, aber die Spitzen waren abgebrochen, und ich hatte meinen Spitzer verloren.

Ein Fellball, den eine Katze herausgewürgt hatte – ÖRGGGH, was machte der denn da?*

Halt, was war das da ganz unten?

Ein Katapult – ha!

Das Katapult hatte ich von Dad zu meinem letzten Geburtstag bekommen.**

Das Geschenk hatte mich überrascht, weil er mir eigentlich nie etwas zum Spielen gab, das gefährlicher war als eine Gummiente. Er gestand, dass es nicht seine Idee gewesen war. Das Katapult hatte

---

* *Fellbälle sind Haarklumpen, die im Magen von Katzen landen, wenn sie sich putzen. Irgendwann spucken sie sie aus, meistens auf das sauberste Stück Teppich.*
** *Meinem zehnten, wenn ihr es genau wissen wollt, aber eigentlich müsste es der elfte sein, denn wenn der Tag, an dem man geboren wird, nicht der erste Geburtstag ist, was bitte dann? Aus irgendeinem Grund wird der nie mitgezählt.*

meiner Mum gehört. Sie hatte gewollt, dass ich es bekomme.

»Man kann nie wissen, wann man es braucht«, waren seine Worte gewesen.

Heute also war es so weit.

Ich rannte zurück in den Garten, fand einen schönen spitzen Stein, spannte ihn ein und zielte geradewegs auf den Kopf des Ogers.

Der Stein traf ihn genau zwischen die Augen.

PENG!

»Autsch!«, sagte der Oger.

Dann fiel er zu Boden und war tot.

Es geht abwärts

Eine Weile stand ich da, guckte blöd und konnte mich nicht rühren wegen eines Gefühls, das ich nur **Panik** nennen kann.*

Ich wusste, ich sollte etwas sagen, aber »Upsi!« erschien mir nicht passend, und für »Tschuldigung!« war es zu spät.

Das einzige Wort, was mir einfiel, war eins, das Kinder nicht laut sagen dürfen, nicht mal, wenn sie gerade einen Oger umgelegt haben.

Was hatte ich nur getan?

Ich hatte ihn doch nur ablenken wollen, damit Tante Brunhilda fliehen konnte. Stattdessen hatte ich … ich hatte … ich hatte ihn getötet.

Mir wurde schlecht.

---

* *Wahrscheinlich, weil es Panik war.*

Ich hatte Angst.

Ich hatte noch nie einen Oger getötet.

Ich hatte noch nie irgendwas getötet!

Das Ganze war sogar noch schlimmer, weil der Oger nach hinten gekippt war, und das hieß, dass er auf unserem Haus gelandet war.

Es gab einen riesigen **RUMMS** … nein, viel größer, eher einen

RUMMS!

und jede Menge Schutt und Glas und Steine flogen durch die Luft.

Als der Staub sich legte, sah ich, dass das Haus komplett zerstört war.

»Du minderbemittelter Einfaltspinsel!«, schrie Tante Brunhilda, rappelte sich auf und wischte sich den Schmutz von der Pilotenbrille, um mich noch boshafter anzustarren.

»Sieh nur, was du angerichtet hast!«

Sie bedankte sich nicht mal, dass ich sie davor bewahrt hatte, den restlichen Vormittag im Magen eines Ogers zu verbringen. Sie drehte sich einfach um, stürmte auf die Straße und rief nach einem

Taxi, während ich mich fragte, wie ich dieses Chaos aufräumen sollte, wenn ich nicht mal das Kehrblech unter der Treppe hervorholen konnte, weil die Treppe nicht mehr da war, genau wie alles andere, abgesehen von einem großen Haufen Schutt.

»Das hat man davon, wenn man versucht zu helfen«, sagte eine Stimme hinter mir. »Wenn du mich fragst, sollte man einfach zuschauen, wie sie gefressen werden.«

Das kleine alte Buch

Ich wirbelte herum.

Keiner da.

»Hier unten«, sagte die Stimme.

Ich schaute nach unten. Da stand ein Mann mit einem zottigen Bart und einer roten Nase.

Ich bin klein für mein Alter, aber er war klein für jedes Alter. Sein Kopf ging mir nur bis ans Knie, und er trug einen verbeulten Blechhelm und einen Lederkittel mit einer großen Waffensammlung am Gürtel.

»Wer sind Sie?«, fragte ich.

»Ich möchte mich vorstellen: Ich bin Stoop«, sagte er und streckte den Arm aus, um meine Hand zu schütteln. »Und ich habe dich als meinen Lehrling auserwählt.«

»Was für ein Lehr-
ling?«

»Na, ein Monster-
jäger-Lehrling!«, sagte
Stoop. »Ich jage jetzt seit
zweihundert Jahren
Monster, und ich finde,
das reicht. Ich will mal
die Füße hochlegen,
aber das kann ich erst,

wenn ich jemanden finde, der meinen Job über-
nimmt. So sind die Regeln. Da kommst du ins
Spiel. Ich werde dir alles beibringen, was ich
weiß.«

»Warum ich?«

»Es gibt nicht viele Jungen, die ganz allein einen
Oger kaltmachen können.« Der Mann deutete mit
einem anerkennenden Nicken auf den Oger, der
auf den Trümmern unseres Hauses lag. »Gute Ar-
beit. Ich finde, das muss ins Buch.«

»Welches Buch?«

»Dazu komme ich gleich.«

Wie aus dem Nichts zog Stoop ein altes ledergebundenes Buch hervor und hielt es mir hin. Auf dem Einband stand *Monsterjagen für Anfänger*.

»Alles, was du übers Monsterjagen wissen musst, steht in diesem Buch«, erklärte er.

»Alles?«, wiederholte ich zweifelnd. »Da steht doch, dass es nur für Anfänger ist.«

»Ah, nicht ganz. Jetzt ist es für Anfänger, aber schau mal ...«

Stoop nahm mir das Buch wieder ab, und der Titel lautete plötzlich *Monsterjagen für mürrische Männer mit zottigen Bärten, roten Nasen und verbeulten Blechhelmen.*

»He, ich bin nicht mürrisch!«, knurrte er*, aber man kann mit einem Buch nicht diskutieren. Schon gar nicht mit einem magischen. »Siehst du, das Buch ist immer genau das, was man braucht. Bitte sehr, es gehört dir. Ich schenke es dir aus der Güte meines Herzens. Möchtest du es haben?«

»Klar«, sagte ich, denn ich mochte Bücher.

An dem triumphierenden Funkeln seiner Augen, als er es mir gab, hätte ich erkennen sollen, dass etwas im Busch war, aber ich brannte darauf, das Buch aufzuschlagen und darin zu lesen.

Das hier stand auf der ersten Seite:

---

* *und zwar mürrisch*

Für neue Monsterjäger
zur Kenntnisnahme

Bestimmt habt ihr gerade furchtbar viele Fragen. Fragen wie: Was passiert, wenn ich zu fest an meinem Bauchnabel ziehe?

Die Antwort darauf lautet: Du würdest irgendwann einen Riesenhaufen Blut und Innereien herausziehen wie Spaghetti Bolognese.

Die wichtigere Frage ist: Was sind Monsterjäger, und was machen sie?

Lies sorgfältig, denn du wirst es gleich erfahren. Die Wahrheit ist, neuer Monsterjäger: Monster sind überall, aber nur wenige Menschen können sie sehen, und noch weniger haben das ~~Pech~~ Glück, als offizielle Monsterjäger auserwählt zu werden. Du bist einer von ihnen. Dein Job ist es, die Lage zu retten, wenn die

Monster sich danebenbenehmen. Was meistens der Fall ist. Schließlich sind sie Monster. Was du mit ihnen anstellst, hängt davon ab, welche Art Monster es sind. Und damit kommen wir zu diesem Buch.

E wie enttäuscht

Eifrig blätterte ich durch die Seiten.

Manche Monster kannte ich aus Geschichten, wie Basilisken, Minotauren und Gorgonen. Andere waren mir weniger bekannt.

Es gab Kobolde und Klabauter ...

Trippeltrolle und Trappernapper ...

Schlabberiche und Schreckschrauben ...

Inkubusse und Sukkubusse und Doppeldecker-busse.

Es gab sogar ein Monster namens Schorfiger Haariger Rotznibbler.

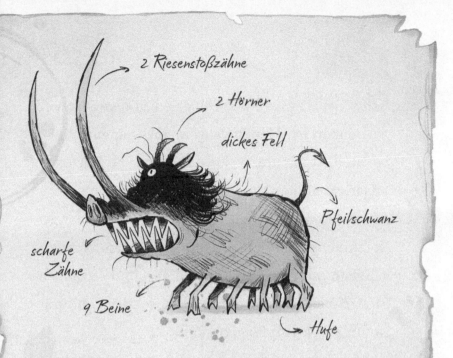

2 Riesenstoßzähne

2 Hörner

dickes Fell

Pfeilschwanz

scharfe Zähne

9 Beine

Hufe

Der Schorfige Haarige Rotznibbler

Dieses Monster ist weder schorfig noch besonders haarig. Generell nibbelt es auch keinen Rotz.
Warum auch? Rotz ist eklig und sollte niemals
als Brotaufstrich verwendet werden. Es sei denn,
die einzige Alternative ist Stachelbeergelee. Die
Wissenschaft hat lange darüber gestritten, wie der

Schorfige Haarige Rotznibbler zu seinem Namen gekommen ist. Manche sagen, dass jemand ihn benannt haben muss, der die Wörter »schorfig«, »haarig«, »Rotz« und »nibbeln« einfach nicht kannte. Wie dem auch sei, der Schorfige Haarige Rotznibbler sieht aus wie ein einäugiges Warzenschwein mit neun Stummelbeinen und so langen Stoßzähnen, dass er damit Radiosender von drei Kontinenten empfangen kann.

Er ist in den Waldgebieten Papua-Neuguineas heimisch, und man nähert sich ihm am besten mit Vorsicht und einer Nasenklammer.

»Wenn dir ein neues Monster begegnet«, erklärte Stoop, »beschreibst du es auf einer leeren Seite. So bleibt das Buch immer aktuell. Das hier habe ich letzte Woche hinzugefügt.«

»Warziges Grünes Riesen-Dingsda«, las ich laut. »Ist Ihnen nichts Besseres eingefallen?«

»Ich war in Eile«, verteidigte sich Stoop. »Es kommt vor allem darauf an, alles zu notieren, solange dir das Monster noch frisch in Erinnerung ist. Der Eintrag erscheint in alphabetischer Reihenfolge in allen Ausgaben dieses Buchs der Monsterjäger auf der ganzen Welt. Siehst du, da erscheint gerade ein neuer Eintrag über einen Ausbruch von Sturmwütern in Saskatchewan. Wo auch immer das ist.«*

Ich schaute aufgeregt zu, wie sich die Worte auf der Seite bildeten. Mum hatte also wirklich recht gehabt! Die Welt war voller Monster, und sie standen alle auf den Seiten dieses **zugegeben ziemlich speziellen Buchs**.

Eins verstand ich allerdings nicht.

»Warum stehen hier keine Drachen drin?«, fragte ich, nachdem ich zu D geblättert und dort nicht die Geschöpfe gefunden hatte, die mich mehr interessierten als alle anderen.

Stoop lachte spöttisch.

»Es gibt keine Drachen«, sagt er. »Das weiß doch jeder.«

---

* *In Kanada. Ich habe im Atlas nachgeschlagen.*

Die brennende Aufregung in mir erlosch wie glühende Kohle in einer Wasserpfütze. So enttäuscht war ich nicht mehr gewesen, seit Dad mir verboten hatte, einen Horrorfilm zu schauen, weil ER Angst hatte, dass er Albträume kriegen würde.

»Ist ja auch egal«, sagte ich, klappte mit einem Seufzer das Buch zu und gab es Stoop zurück. »Ich kann sowieso kein Monsterjäger werden. Erst mal muss ich Dad finden. Ich habe immer noch keine Ahnung, wo er ist.«*

»Du kannst dich nicht mehr umentscheiden«, entgegnete Stoop. »Du hast den Job schon angenommen.«

»Nein, habe ich nicht.«

»Doch, hast du. Ich kann es beweisen«, sagte er.

---

* *Ich wusste nur, dass er nicht auf Weltreise gegangen war.*

Kohl und Kartoffelbrei

Stoop hakte eine Lupe aus seinem Gürtel, damit ich die verblichene spinnendürre Schrift auf dem Inneneinband des Buchs lesen konnte.

Wer so blöd ist, dieses Buch als Geschenk zu akzeptieren, hat die Stelle als Monsterjäger offiziell angenommen. Eine Weigerung wird eine durch und durch ekelhafte Strafe unter der Zuhilfenahme von Kartoffelbrei zur Folge haben. Es sei denn, man mag Kartoffelbrei. Dann überlegen wir uns etwas anderes.

»Man sollte immer das Kleingedruckte lesen«, sagte Stoop. »Diesen Rat gebe ich dir völlig umsonst.«

»Sie haben mich reingelegt!«, sagte ich.

»Richtig«, grinste er. »Schlau, was?«

Ich hatte mich noch nie so dumm gefühlt.

»Kopf hoch«, sagte er. »Alle finden den Job toll.

Ich auch, als ich in deinem Alter war. Wenn du keine Lust mehr hast, Monsterjäger zu sein, suchst du dir eben einen Lehrling und legst ihn so rein wie ich dich. Ganz einfach.«

»Es bleibt mir wohl nichts anderes übrig, wie?«

Kartoffelbrei kann ich nämlich überhaupt nicht ausstehen.

»Das Leben als Monsterjäger ist gar nicht so schlecht«, sagte Stoop. »Okay, die Bezahlung ist mies, und du schwebst ständig in Lebensgefahr, was viele Leute aus unerfindlichen Gründen abschreckt. Aber du bist dein eigener Boss, und du kannst an aufregende und exotische Orte reisen wie Peru, China, Australien, Birmingham ... Außerdem bekommst du so viel gedämpften Kohl, wie du nur willst.«

Ich brachte es nicht über mich, ihm zu sagen, dass ich Kohl auch nicht mochte.*

Und außerdem, was hatte ich zu verlieren?

Meine Mum war tot.

Mein Dad war verschwunden.

Alles, was ich besaß, war unter zehn Tonnen Schutt begraben.**

Dies war meine Chance zu beweisen, dass ich nicht nur ein spilleriger Bursche mit Brille war, der sich nicht verteidigen konnte, wenn es drauf ankam, sondern ein furchtloser Monsterjäger-Lehrling mit einem Katapult.

* Schon gar nicht gedämpften.
** Vielleicht auch mehr, das ist nur eine grobe Schätzung.

Mit Stoops Hilfe würde ich vielleicht sogar herausfinden, was wirklich mit Dad passiert war. Sein Verschwinden musste irgendwie mit Tante Brunhilda und dem Oger zusammenhängen.

Die Sache war beschlossen.

»Wann fange ich an?«, fragte ich.

»Jetzt sofort!«

Kleider machen Leute

Als Erstes, sagte Stoop, mussten wir mir die passende Ausrüstung besorgen. Ein Monsterjäger brauchte den **entsprechenden Look**.

»Mal schauen, was ich so habe …«

Er öffnete seine Tasche und begann darin herumzuwühlen. Unter Geschepper zog er immer mehr Waffen heraus, bis er schließlich einen Blechhelm in die Höhe hielt, genau so einen, wie er selbst ihn trug.

In genau derselben Größe.

»Probier mal.«

»Ich glaube nicht, dass der mir passt«, sagte ich vorsichtig. Ich wollte nicht undankbar klingen.

»Wetten, doch?«, sagte Stoop mit einem Grinsen.

Neugierig nahm ich den Helm und setzte ihn auf den Kopf. Wie erwartet saß er dort wie ein Fingerhut auf einem Ameisenhaufen.

»Ich habe doch gesagt, dass er ...«

Ich verstummte.

Etwas Außergewöhnliches passierte.

Der Helm dehnte und streckte sich und passte sich meinem Kopf an.

Und schon trug ich einen schicken neuen, nicht mehr ganz so verbeulten Blechhelm.

Dasselbe passierte, als ich meinen Pulli auszog und den Lederkittel anprobierte, den Stoop mir reichte. Erst war es so, als versuchte ich, einen Bernhardiner in einen Strampelanzug zu quetschen.*

Dann verwandelte sich auch der Kittel in genau die richtige Form und Größe für meinen Körper.

Als Nächstes kam der Gürtel. Eben noch war er nicht größer als eine Lakritzschnecke, dann entrollte er sich wie eine Schlange und legte sich um meine Taille. Er hatte eine Menge Haken, um Waf-

---

* Wer das noch nie getan hat, sollte es unbedingt ausprobieren, es ist zum Totlachen. Na ja, vielleicht doch besser nicht.

fen daranzuhängen, auch wenn ich im Moment nur mein Katapult besaß. Ich bräuchte erst eine **Spezialausbildung**, sagte Stoop, bevor ich scharfe Waffen tragen dürfte, sonst würde ich mir nur die Ohren absäbeln.

»Aber es ist unnötig, jetzt schon Zeit mit deiner Ausbildung zu verschwenden«, fügte er hinzu, »denn die meisten Monsterjägerlehrlinge überleben nur etwa sechs Minuten, bevor sie verputzt werden. Sechseinhalb, wenn sie richtig schnell rennen können.«

»War das noch so ein Detail, das Sie vergessen haben zu erwähnen?«, sagte ich.

»Es war mir entfallen«, erwiderte Stoop unschuldig. »Aber keine Sorge, dir passiert das bestimmt nicht. Du hast den Dreh raus, das spüre ich. So, wie gefällst du dir?«

Er fischte einen kleinen Spiegel aus der Tasche und hob ihn hoch, damit ich mich betrachten konnte.

Ich sah immer noch aus wie ich. Ich war so klein wie eh und je, hatte eine Brille und einen wilden Haarschopf, aber irgendwas war auch anders.

Stoop jedenfalls wirkte zufrieden. Jetzt, wo ich richtig gekleidet war, sagte er, sei es Zeit für den nächsten Schritt: herauszufinden, was der Oger in meinem Garten verloren hatte.

Oger lebten nämlich eigentlich in der Wildnis. So wie die meisten Monster.

»Wir könnten seine Taschen nach einem Hinweis durchsuchen«, schlug ich vor.

»Siehst du, was ich meine?«, sagte Stoop. »Du wirst deinen Job gut machen!«

Doch leider musste ich einen Augenblick später feststellen, dass das Leben eines Monsterjägers nicht so einfach war.

Der Oger war weg.

Die Regeln

Ich verstand zwar noch nicht viel vom Monsterjagen, aber ich war mir doch ziemlich sicher, dass
Oger nicht die Gewohnheit hatten, aufzustehen
und davonzuspazieren, wenn sie tot waren.

Das machen nur Zomblinge.

In *Monsterjagen für Anfänger* steht über Zomblinge Folgendes:

Zomblinge

Du weißt doch, was Zombies sind, oder? Tja,
Zomblinge sind das gleiche, nur dass sie wie
Babys aussehen. Diese furchterregenden Ge-
schöpfe gab es zu allen Zeiten und in vielen
Ländern, aber sie haben alle eins gemeinsam:
Sie fressen Gehirne. Und sie kochen sie nicht

mal in einer leckeren Soße, um sie mit Salzkartoffeln zu servieren, sie essen sie roh.

große Augen,

lange Finger,

Wenn du gerade einem Zombling begegnet bist und diesen Artikel liest, um zu erfahren, was du jetzt tun sollst, dann wollen wir diese Frage mit einer Silbe beantworten: LAUF! Ganz ehrlich, lauf. (Wenn möglich, weg von den Zomblingen und nicht zu ihnen hin.) Noch besser, wenn du einen Freund hast, der nicht so schnell ist wie du, dann lauf zu ihm, denn dann fängt der Zombling ihn zuerst und frisst sein Hirn und nicht deins. Aber falls

frisst 7 Gehirne pro Woche

du immer noch dastehst und dieses Buch liest, könnte es jetzt auch zu spät sein. Mach dir keine Sorgen: Viele Lebewesen kommen bestens ohne Gehirn klar. Seesterne zum Beispiel. Oder Sportlehrer.

»Ist ja komisch«, sagte Stoop und starrte die Stelle an, wo der Oger noch vor wenigen Minuten gelegen hatte. »Bist du sicher, dass er tot war?«

»Dachte ich zumindest«, sagte ich. »Aber ich habe mich nicht getraut, aus der Nähe nachzusehen. Vielleicht habe ich ihn nur bewusstlos geschlagen. Der Arme. Ich wette, er hat jetzt fürchterliche Kopfschmerzen.«

»Besser, als tot zu sein«, sagte Stoop, womit er natürlich recht hatte. »Gegen Kopfschmerzen gibt es Tabletten. Gegen Totsein nicht. Ich bin aber doch erleichtert, dass er noch lebt.«

»Ach ja?«, fragte ich überrascht, denn Stoop wirkte nicht wie einer, der nachts lange wach liegt, weil ein oder zwei Monster den Löffel abgegeben haben.

»Na ja«, sagte er und zupfte verlegen an seinem
Bart, »wir dürfen nämlich eigentlich keine Monster
töten.«

»Was?«

»Versteh mich nicht falsch. Wir dürfen eine
angemessene Menge Gewalt anwenden,
um uns oder unschuldige Mitglieder der Gesellschaft zu verteidigen, aber wir dürfen sie nicht um-
bringen. Das ist einer der Gründe, warum ich auf-
höre. Es macht nicht mehr so viel Spaß wie früher.
Ich habe versucht, unbemerkt ein paar Köpfe abzu-
hacken, aber du würdest nicht glauben, was sie in
der Monsterjägerzentrale für ein Theater gemacht
haben. Ich musste eine Woche lang Formulare
ausfüllen.«

»Hätte ich Ärger bekommen, wenn ich den Oger
getötet hätte?«, fragte ich.

»Du bist neu, du wusstest es nicht besser. Wahrscheinlich wärst du mit einer Verwarnung davon-
gekommen.«

»So wie Sie, als Sie den Mantikorken getötet
haben?«

»Den was?«

Ich zog Monsterjagen für Anfänger aus der Tasche und schlug eine der mittleren Seiten auf.

Mantikorken

Schon mal vom Mantikor gehört? Das war in alter Zeit eine furchterregende Kreatur mit dem Körper eines Löwen, dem Kopf eines Menschen und dem Stachel eines Skorpions. Ein Monster mit Löwenkörper und Menschenkopf klingt vielleicht etwas weniger beunruhigend als ein Wesen mit Menschenkörper und Löwenkopf. Schließlich sind Löwenzähne dazu da, Fleisch in Stücke zu reißen, wohingegen Menschenzähne so mickrig sind, dass sie schon Probleme haben, Karamellbonbons zu kauen. Deshalb jammern Erwachsene ja auch immer, dass es so teuer ist, herausgefallene Füllungen zu ersetzen. Aber der Mantikor hat drei Reihen scharfer Eisenzähne und überhaupt keine Probleme mit Karamellbonbons und noch weniger Probleme mit Monsterjägern. Der Mantikorken sieht exakt genauso aus, nur dass er nicht größer ist als ein herkömmlicher Flaschenkorken. Daher der Name. Logisch.

»Den hatte ich ganz vergessen«, sagte Stoop.

»Hier steht, dass Sie ihn nach erbittertem Kampf getötet haben.«

»Ach ja?«

Ich zeigte auf die Stelle.

Mantikorken wurden seit Jahrzehnten nicht mehr in freier Wildbahn gesichtet, bis letzten Dienstag gegen zehn Uhr, als Stoop, wie er berichtete, einen Mantikorken nach erbittertem Kampf tötete, weil dieser sich all seinen Bitten widersetzt hatte, ihm friedlich zu folgen.

»Sehen Sie?«

»Da habe ich vielleicht ein bisschen übertrieben«, musste Stoop zugeben, und sein Gesicht wurde fast so rot wie seine Nase. »Ich bin versehentlich draufgetreten, als ich zum Zug gerannt bin. Wenn er nicht so laut geploppt hätte, wäre er mir gar nicht aufgefallen. Aber das ist etwas anderes. Das war ein Unfall! Man kann nicht einfach ein Monster töten und damit davonkommen.«

»Aber was machen Sie dann mit ihnen?«

»Wir fangen sie und bringen ihnen Manieren bei, dann wildern wir sie wieder aus, wenn sie sich gebessert haben. Wale und Eulen stehen doch auch unter Schutz, also warum sollten Monster nicht geschützt werden?«

»Eulen fressen keine Menschen«, bemerkte ich.*

»Ich mache nicht die Regeln«, sagte Stoop. »Wir dürfen sie eben nicht töten, fertig. Es ist verboten, gemäß **Absatz 38 der Verordnung zum Schutz gefährdeter Monster**.«

---

* Da lag ich falsch. In Monsterjagen für Anfänger *ist belegt, dass die Ostmongolische Zwergeule sich gerne über Schülerlotsen hermacht, weil sie deren Verkehrskellen für Lollis hält.*

Das hieß aber nicht, dass wir den Oger einfach laufen lassen konnten, bis er sich den nächsten Imbiss suchte. Tante Brunhilda war ihm nur haarscharf entkommen. Das nächste Opfer hatte vielleicht nicht so ein Glück.

Wir mussten ihn finden.

Und zwar schnell.

Aber wohin ging ein Oger mit Kopfschmerzen, sobald er wieder bei Sinnen war?

Ein X markiert die Stelle

»Glauben Sie, das Papier, das da im Schutt rum-
flattert, könnte ein Hinweis sein?«, fragte ich, nachdem wir eine Weile überlegt hatten, wohin der
Oger gegangen sein könnte.

»Meiner Monsterjägererfahrung nach sind Pa-
piere, die im Schutt rumflattern, fast immer **wichtige Hinweise**«, sagte Stoop aufgeregt. »Schnell,
hol es, bevor es davonfliegt.«

Ich eilte hin und fischte das Papier aus den
Trümmern.

Vorsichtig faltete ich es auseinander – aber nicht
vorsichtig genug. Das Papier nutzte sofort die Ge-

legenheit zur Flucht. Es schwang sich auf einen kleinen Wind und machte sich davon.

Stoop griff danach, doch das Papier riss ihn vom Boden, sodass er daran hing wie an einem bockigen Fallschirm.

Ich konnte ihn gerade noch am Knöchel packen, um ihn vor einem neuen Leben als Vogel zu bewahren.

Mit einem lauten **PADUMMS** fiel Stoop auf die Erde, breitete das Blatt auf dem Boden aus und setzte sich mitten drauf, damit es nicht noch einmal davonflog.

Das Papier zappelte noch ein bisschen, dann lag es still.

Es wusste, wann es besiegt war.

Als ich mich darüber beugte, sah ich, dass das Papier in Wahrheit eine Landkarte war.

»Der Oger muss sie verloren haben, als er sich

aus dem Staub gemacht hat«, sagte ich. »Rutschen Sie mal zur Seite, damit ich besser sehen kann.«

Stoop rutschte ein Stück nach links.

Genau da, wo er gesessen hatte, waren ein paar Häuser eingezeichnet, ein Hügel, ein Wald, eine gewundene Straße und zwei gekreuzte Schwerter an einer Stelle, wo vor langer Zeit mal eine Schlacht stattgefunden hatte.

»Und jetzt rutschen Sie mal nach rechts.«

Stoop murrte, tat aber wie geheißen.

Diesmal sah ich, dass auf der Karte ein paar Schriftzeichen waren – wenn man es denn »Schrift« nennen konnte. Es waren keine Wörter oder Buchstaben, nur Kleckse und Flecken, als hätte der Füller Schnupfen gehabt und Tinte über das Papier geniest.

»Nur Kauderwelsch«, sagte ich.

»Da liegst du falsch«, widersprach Stoop. »Das ist kein Kauderwelsch. Nur Kauder sprechen Kauderwelsch.* Das ist Ogerisch. Mein Ogerisch ist wie

---

* Kauder sind so ähnlich wie Woffel, wenn auch nicht ganz so blutrünstig. Und Woffel sind längst nicht so blutrünstig wie Schrotze. Das ist niemand. Außer Flappse. Und Schrullen, aber nur tagsüber.

ein Fahrrad, das zu lange im Regen stand – etwas eingerostet. Aber ich glaube, diese Karte hier ist von einer Gegend namens Königsruh.«

»Königsruh?«, wiederholte ich. Irgendwie kam mir das bekannt vor. »Wo ist das?«

»Laut der Karte in Cornwall.«

»Da ist meine Mum aufgewachsen!«, rief ich und war mir absolut sicher, dass das kein Zufall sein konnte. »Das ist wirklich in Cornwall. Ich wollte schon immer mal hinfahren, aber Dad hatte tausend Ausreden, warum das nicht ging.«

»Wenn ich etwas über Dads weiß, dann wollte deiner nur nicht, dass du gefressen wirst«, sagte Stoop. »Die haben da unten eine Menge Ärger mit Monstern. Das ist die Gegend von Jack dem Riesentöter.«

»Jack dem was?«, fragte ich.

»Erzähl mir nicht, dass du noch nie von Jack dem Riesentöter gehört hast!«

»Ist das der Jack aus *Jack und die Bohnenranke*?«, fragte ich.

»Nein, das ist ein anderer Jack! Er hieß nur zufällig auch Jack. Jack ist ein sehr geläufiger Name für Monsterjäger. Dieser Jack war der berühmteste Monsterjäger von allen. Er hat das ganze Monsterjägergeschäft überhaupt erst begründet. Er lebte zu Zeiten von König Arthur. Er hatte es gut – damals gab es noch keine Regeln, dass man Monster nicht töten durfte. Einmal hat er einen Riesen dazu gebracht, sich selbst den Bauch aufzuschlitzen. Glaub mir, das ist nicht leicht.«

»Sie denken also, dass der **doch nicht tote Oger** nach Königsruh wollte und hier nur ein Päuschen gemacht hat, um Tante Brunhilda zu verputzen?«, fragte ich, als Stoop entschlossen auf die Füße sprang und die Karte zusammenfaltete.

»Darauf würde ich mein Leben verwetten«, erklärte er. »Warum sonst sollte eine Karte von einem Ort, an dem du noch nie gewesen bist, in der Ruine deines Hauses herumflattern? So muss es sein. Wir sollten uns besser beeilen, wenn wir ihn schnappen wollen. Der Oger hat einen Vorsprung.«

»Aber Cornwall ist doch total weit weg«, wandte ich ein. »Zu Fuß dauert das Stunden!«

»Wollen wir noch mal wetten?«, fragte Stoop.

Große Fußstapfen

Stoop griff wieder in seine Tasche.

Diesmal holte er ein Paar grüne Stiefel heraus.

Wieder waren sie so klein wie seine eigenen, aber ich wusste ja jetzt, wie das lief. Ich zog meine Schuhe aus, hoffte, dass ich keine Löcher in den Socken hatte, weil das immer ein bisschen peinlich ist, und zog mir die neuen Stiefel über die großen Zehen.

Sie sahen lächerlich aus, wie sie da baumelten, wie Fäustlinge an einem Elefanten … Aber nicht lange. Schon bald hatten sie sich um meine Füße geschmiegt und passten wie angegossen.

Es war sogar schon mein Name eingestickt. Das, sagte Stoop, sei für den Fall, dass sie gestohlen wurden, während ich in der Badewanne saß, und ich beweisen musste, dass sie wirklich mir gehörten.*

»Das sind Siebenmeilenstiefel. Alle echten Helden in den alten Geschichten hatten welche. Wenn du die anziehst, kannst du mit einem Schritt sieben Meilen laufen – das sind etwa 33 Kilometer. In einem Notfall wie diesem kannst du nicht den Bus nehmen. Ich bin damit schon mal an einem Tag nach Afrika und wieder zurück.«

»Merkt das denn niemand?«

»Du bist damit so schnell, dass die Leute nur kurz was Verschwommenes sehen. Daher die ganzen angeblichen UFO-Sichtungen. Das sind nur Monsterjäger auf dem Weg zum Einsatz. Steh auf und probier es mal aus.«

Es war ein kleiner Schritt für einen Monsterjäger, aber ein gigantischer Sprung für mich.

Unglücklicherweise endete dieser Sprung kopfüber vor einem Baum. Der nächste Schritt trug mich in die Krone des Baums, wo mich ein empörtes Eichhörnchen mit den Nüssen aus seinem Ver-

* Stoop behauptete, das komme öfter vor, als man denke.

steck bombardierte. Ich hätte ihm gern gesagt, dass ich nicht hinter seinen Vorräten her war, aber wir sprachen nicht dieselbe Sprache, und Stoop rief mir zu, ich solle weiter üben.

Diesmal flog ich hoch über die Gartenmauer und landete auf der Straße.

Bremsen quietschten, und Autofahrer schrien mich an, ich solle aufpassen, wo ich hinliefe.

Sie verstummten, als Stoop neben mir landete, seinen Dolch zog und drohte, ihnen die Reifen zu zerstechen.

»Nimm meine Hand«, sagte Stoop. »An magische Stiefel muss man sich erst gewöhnen.«

Und los ging's. Anfangs noch Straße für Straße, dann über Häuser und Kirchen, und dann waren wir mit einem Sprung in der nächsten Stadt und wurden immer schneller.

In meinem Kopf drehte sich alles, während Felder und Straßen und Landschaften unter uns hinwegzogen. Wir zischten so hoch über dem Boden dahin, dass die Menschen unter uns wie Ameisen aussahen.

Und die Ameisen selbst sahen wie gar nichts

aus, weil sie so klein waren, dass wir sie nicht mehr sehen konnten.

Im Nullkommanichts, abgesehen von der Zeit, die wir für die Strecke brauchten, waren wir in Königsruh.

Schon mal hier gewesen?

Königsruh hatte etwas kribbelig Vertrautes an sich.
Als ich auf dem Marktplatz stand und mir die
Kopfsteinpflastergassen und die krummen und
schiefen Häuser ansah, war es, als wüsste ich bereits, was mich erwartete.

Als wäre ich schon mal hier gewesen.

Es gab einen schiefen Uhrturm, der auf jeder seiner vier Seiten eine andere Zeit anzeigte, und auf keiner die richtige.

Es gab eine Metzgerei, eine Bäckerei und einen Kerzenladen. In der Bäckerei gab es nur Kerzen und im Kerzenladen nur Brot und Brötchen und Kuchen, und die Metzgerei war von Vegetariern

übernommen worden und hatte nichts als Karotten im Angebot. Es gab auch einen Flohmarkt, auf dem man echte Flöhe kaufen konnte, und einen *Alten Laden der kuriosen Dinge*, direkt neben einem Geschäft mit dem Namen *Neuer Laden der total normalen Dinge.*

Überall waren Leute und hielten Plakate mit Aufschriften wie **Nieder mit den Monstern!** oder **Fresst nicht unsere Omas!**, und auf dem Stumpf einer alten Eiche mitten auf dem Platz stand ein Mann. Er trug einen Zylinder auf dem Kopf und eine Goldkette um den Hals und er rief etwas durch ein Megafon, und die umstehende Menge antwortete ihm.

»Was wollen wir?«

»Nicht gefressen werden!«

»Wann wollen wir es?«

»Bei möglichst jeder Mahlzeit!«

Stoop schüttelte bekümmert den Kopf.

»Ich fürchte, Jack, dass wir hier einen **Notfall der Stufe vier** vor uns sehen.«

»Ist das schlecht?«

»Das Beste, was man darüber sagen kann, ist, dass es kein **Notfall der Stufe fünf** ist. Das Buch erklärt es dir.«

Ich zog *Monsterjagen für Anfänger* aus der Tasche. Praktischerweise öffnete es sich genau auf der richtigen Seite.

Eine kurze Erklärung der Notfallstufen

Stufe Eins: Die Monster sind los, aber niemand hat es bemerkt, nicht einmal die Monsterjäger. Diese Stufe benötigt ehrlich gesagt keine eigene Klassifizierung. Sie regelt sich meistens von selbst.

Stufe Zwei: Die Monster haben schon ordentlichen Schaden angerichtet, aber die Mitglieder der Öffentlichkeit haben es noch nicht bemerkt. Wenn ein Monsterjäger schnell genug vor Ort ist, reicht das für gewöhnlich aus, um die Lage unter Kontrolle zu bringen.

Stufe Drei: Ein oder zwei Personen haben mitbekommen, dass eine große gruselige Kreatur dort ist, wo vorher keine große gruselige Kreatur war. Deine Aufgabe ist es, dich um die erwähnte große gruselige Kreatur (oder Kreaturen) zu kümmern, während du der erwähnten Person (oder Personen) versicherst, dass sie sich das alles nur einbildet.

Stufe Vier: Die Monster benehmen sich so sehr daneben, dass es zu viele Leute bemerkt haben, um einen Eklat zu verhindern. Es könnte zu Ausbrüchen von Schrecken, Panik, Geschrei, Tumult und anderen störenden Verhaltensweisen kommen. Das macht deine Aufgabe wesentlich anstrengender, aber eine bessere Bezahlung gibt es nicht, also spar dir die Nachfrage. Die Internationale Monsterjägerverbindung schwimmt nicht im Geld, klar?

Stufe Fünf: Monster haben die Weltherrschaft an sich gerissen und stehen kurz davor, die Menschheit, wie wir sie kennen, auszulöschen. Das kommt sehr selten vor. Tatsache ist, dass es bis jetzt noch nie passiert ist, sonst hättest du davon gehört. Wenn es passiert, kannst du nicht viel dagegen tun, also herzlichen Dank für deine Dienste. Wir wünschen ein möglichst angenehmes Ableben, und bitte denk hinterher an den vollständigen Bericht für unsere Akten.

Ich stelle mich meinen Ängsten

»Was machen wir jetzt?«, fragte ich besorgt.

Ich fand es ziemlich unfair, dass meine erste Mission ein **Notfall der Stufe Vier** sein musste und ich nicht erst mal an ein paar Zweiern und Dreiern üben konnte.

»Also ich«, sagte Stoop, »werde mir jetzt erst mal im Kerzenladen ein leckeres Mittagessen besorgen. Ich habe einen Mordshunger. Und du gehst am besten rüber und fragst, was da los ist.«

»Wen soll ich fragen?«

»Keine Ahnung! Wie wär's mit der da?«

Stoop zeigte auf ein Mädchen, das am Rand der Menge stand.

Es war etwa in meinem Alter, aber größer, war ja klar.

Plötzlich kriegte ich keine Luft mehr. Was dachte Stoop sich eigentlich? Fremde Mädchen anzusprechen, war viel schlimmer, als gegen Monster zu kämpfen!

Ich würde garantiert rot werden.

Wurde ich immer.

Als ich Dad mal gefragt habe, was man gegen Schüchternheit tun könne, meinte er nur, ich solle mir keine Sorgen machen, denn Sorgen machten alles nur noch schlimmer. Da wurde ich dann noch nervöser, denn ich fing an, mir Sorgen zu machen, dass ich mir Sorgen machte, und es gibt nichts Besorgniserregenderes.

Dad ist leider kein sehr guter Ratgeber. Mum hätte gewusst, wie sie mir helfen könnte, aber die war ja nicht mehr da.

Dads hilfreichster Tipp war, dass Mädchen genau so sind wie Jungs, nur dass sie Rülpsen nicht ganz so witzig finden. Und auch das war nicht besonders hilfreich, denn Rülpsen findet jeder witzig.

Es gab nur eine Möglichkeit: Ich musste mich **meinen Ängsten stellen**.

Ich holte tief Luft, ging auf das Mädchen zu und räusperte mich, um auf mich aufmerksam zu machen.

»Hallo«, sagte ich und hoffte, dass meine Stimme nicht allzu piepsig klang. Das tat sie oft, wenn ich nervös war. Ich habe es immer gehasst, meine Hausaufgaben vor der Klasse vorzulesen. Lieber hätte ich mich kopfüber an eine Wäscheleine hängen und mit einem Kaktus piksen lassen.*

»Selber hallo«, sagte sie und drehte sich zu mir, und ich stellte erleichtert fest, dass auch sie eine Brille trug. Meiner Erfahrung nach tragen die nettesten Menschen immer Brille. »Coole Stiefel.«

»Danke«, sagte ich. »Ich bin Jack.«

»Ich bin Nancy.«

Ich war verblüfft.

Nicht, weil sie Nancy hieß, was als Name total in Ordnung war, und bestimmt nicht, weil sie meine Stiefel cool fand (warum auch nicht? Ich fand sie ja

* *Nicht wirklich, aber ihr wisst, was ich meine.*

selbst cool), sondern wegen dem, was sie als Nächstes sagte.

»Das sind doch Siebenmeilenstiefel, oder?«

Nancy
berichtet

Ich sah auf den ersten Blick, dass Nancy **kein
gewöhnliches Mädchen** war. Die Kinder in
meiner Schule hätten nur leise gekichert, wenn ich
ihnen erzählt hätte, dass ich magische Stiefel habe.*
Nancy dagegen wusste sofort, was sie vor sich
hatte.

»Guck nicht so verdutzt«, sagte sie lachend,
als mein Kiefer herunterklappte, aber keine Worte
herauskamen. »Ich war schon immer verrückt
nach Magie. In der Schule hat mir niemand geglaubt, wenn ich gesagt habe, dass es sie wirklich
gibt. Deshalb sind Mum und ich vor Kurzem
nach Königsruh gezogen, weil wir dachten, hier

---

* *Wenn sie besonders fies drauf gewesen wären, hätten sie vielleicht
sogar laut gelacht.*

könnte etwas passieren. Und jetzt ist etwas passiert!«

»Sind deshalb alle so aufgebracht?«, fragte ich, als ein weiterer Schrei aus der Menge ertönte.

Nancy nickte und zeigte an dem schiefen Uhrturm vorbei auf einen grünen Hügel, der sich hinter der Stadt erhob. Das, dachte ich, musste der Hügel sein, den ich auf der Karte gesehen hatte.

»Vor etwa einer Woche hat sich da oben ein Oger niedergelassen«, sagte Nancy. »Jeden Tag kommt er in die Stadt herunter, schnappt sich zwei oder drei Einwohner und nimmt sie mit, um ihre Knochen zu zermahlen und Brot daraus zu backen. Du weißt schon, wie im Märchen. Eins muss man ihm lassen, er wahrt die guten alten Traditionen. Er wurde schon mehrmals verwarnt, weil das gegen das Lebensmittelschutzgesetz verstößt, aber er sagt nur, dass das schon immer so war und er sich für nichts und niemanden ändern wird. Er sagt, nur so wird sein Brot schön knusprig.«

»Das kann ich mir vorstellen.«

»Am Anfang hat es niemanden gestört, weil auf einmal die Schlange am Tante-Emma-Laden nicht mehr so lang war«, fuhr Nancy fort, und die Wörter stolperten über ihre Lippen, als gäbe es einen Preis für das Wort, das als Erstes am Ende des Satzes war, und alle wollten gewinnen. »Aber jetzt gerät es außer Kontrolle. Drei Mahlzeiten am Tag reichen ihm nicht, wie jedem anderen anständigen Oger. Ständig kommt er ohne Vorwarnung für kleine Elf-Uhr-Snacks, Zwölf-Uhr-Happen, Halbzwei-Desserts und Alles-Mögliche-zwischendrin-Imbisse herunter. Die Ladenbesitzer beschweren sich, dass er ihnen das Geschäft verdirbt. Sonst ist Königsruh zu dieser Jahreszeit immer voller Touristen.«

»Und warum hat noch niemand einen Monsterjäger gerufen, um den Oger loszuwerden?«, schaltete sich Stoop ein, der mit einer großen Tüte Marmeladenplätzchen vom Kerzenladen zurückkam und sich die Krümel aus dem Bart klopfte, die darin gefangen waren wie dicke Fliegen in einem Spinnennetz. »Wenn sie einen gerufen hätten, müsste ich es wissen. Jedes Hilfegesuch landet im Hauptquartier der Internationalen Monsterjäger-Liga in Llanfairpwllywyngyllgogerychwyrndrobwllllantysiliogogogoch* und erreicht das autorisierte Personal über einen Briefpinguin.«

»Sie meinen eine Brieftaube, oder?«, fragte Nancy.

»Ich weiß, was ich meine«, sagte Stoop. »So habe ich ja auch von dem Oger in Jacks Garten erfahren. Eine Nachbarin hat sich beschwert, weil er ihren Rhododendron platt getrampelt hat. Der Oger natürlich, nicht Jack. Es hätte leicht ein Notfall der **Stufe Drei** werden können, wenn Jack den Oger nicht persönlich erledigt hätte.«

»Anscheinend hast du mehr drauf, als man auf den ersten Blick denken würde, Jack«, sagte Nancy und musterte mich mit neuem Respekt. »Seid ihr deswegen hier? Um den Oger zu vertreiben? Wenn ja, dann kommt ihr keinen Moment zu früh. Niemand weiß, was zu tun ist. Die Leute hier sind noch nie einem Monster begegnet. Ich habe dem Bürgermeister gesagt – das ist der mit Zylinder und

---

* *Das ist eine Stadt auf der Insel Anglesey vor der Küste von Wales. Der Name ist walisisch und bedeutet »Stadt mit einem sehr langen und albernen Namen, der allerdings nicht annähernd so albern ist wie die Leute, die ihn sich ausgedacht haben«.*

Goldkette, falls du noch nicht draufgekommen
bist, – dass er sofort Hilfe holen soll, und er hat versprochen, die zuständigen Behörden zu informie-
ren, sobald er seinen Lieblings-Füllfederhalter
gefunden hat.«

»Tolle Ausrede!«, zeterte Stoop.

»Ich kann nichts dafür! Ich habe hier nicht die
Verantwortung. Warum fragen Sie ihn nicht
selbst?«

»Das werde ich!«, sagte Stoop, aber … dann tat
er es doch nicht.

Er kam nicht dazu.

Ich legte einen Finger an die Lippen.

»Fühlt ihr das?«, flüsterte ich, als der Boden unter unseren Füßen zu zittern begann und ein Schat-
ten über den Platz fiel.

Kein Zweifel.

Der Oger kam von seinem Hügel.

Der Oger
bedient sich

Die Glocke im schiefen Turm **dröhnte** zusammen mit den näher kommenden Schritten. Zum ersten Mal überhaupt gab sie die richtige Uhrzeit an, nämlich die Zeit zum Abhauen.

»Lauft!«, schrien alle.

»Versteckt euch!«

Sie ließen ihre Plakate fallen und schossen ins nächste Haus, der Bürgermeister vorneweg. Er behauptete, er wolle seine Bürger in Sicherheit bringen, dabei schubste er aber mindestens neun Leute um und brüllte: »Nimm die Kinder! Nimm die Kinder! Die schmecken am besten!«

Türen knallten.

Vorhänge wurden zugezogen.

Schon waren nur noch wir drei auf dem Platz.

Wir versteckten uns hinter dem Eichenstumpf und sahen, wie der Oger stampfend in Sicht kam.

Der Oger in meinem Garten hatte Kleidung getragen. Sehr enge Kleidung, die aussah, als müsste sie jeden Moment platzen vor lauter Oger, aber doch Kleidung. Dieser Oger hingegen war nicht nur größer, er hatte auch vergessen, seine Hose anzuziehen.

Es war das erste Mal, dass ich einen nackten Monsterhintern sah, und ich hoffte sehr, dass es auch das letzte Mal sein würde. Es war kein schöner Anblick.

Ich konnte nur wie erstarrt zuschauen, als er stehen blieb, schnuppernd die Nase hob und das Dach vom Haus der Kerzenmacherin anhob, die gerade ein Blech mit frisch gebackenen Brötchen aus dem Ofen zog.

»Scheibenkleister«, brummte der Oger, als er merkte, dass er keinen Beutel dabeihatte, in dem er seinen Imbiss mitnehmen konnte.

Er begnügte sich damit, das Dach des Ladens nebenan abzunehmen und mit der freien Hand die Bäckerin herauszupflücken. Die Bäckerin ver-

suchte, sich mit ein paar frisch gezogenen Kerzen zu verteidigen, aber es half nichts. Kerzen taugen nicht zur Monsterabwehr.

Zufrieden machte der Oger kehrt und lief den Hügel wieder hinauf, wobei er **»Fi Fei Fo Fum«** vor sich hinsummte.*

Langsam kamen alle Bewohner wieder aus ihren Verstecken und murmelten, was für ein Glück, dass es die Bäckerin und die Kerzenmacherin erwischt hatte und nicht sie, weil sowieso niemand so viele Kerzen brauchte und die Kerzenmacherin zu

* *Eigentlich summte er »Fo Fum Fei Fi«, weil er den Text nicht kannte, aber die Absicht zählt.*

viel Geld für ihre Geburtstagskuchen nahm und immer mit dem Zuckerguss knauserte.

»Außerdem hat sie zu wenig Marmelade in die Plätzchen gemacht!«, stimmte Stoop mit ein.

»Ängstigt euch nicht, verängstigte Mitbürger!«, rief Nancy, sprang auf den Eichenstumpf und wedelte mit den Händen. »Hilfe ist nah! Das ist Jack. Er ist ein Monsterjäger. Er ist nach Königsruh gekommen, um den Oger zu töten!«

»Ähm, ehrlich gesagt, Nancy, wir dürfen gar keine …«, begann ich, aber da war ich schon von Menschen umringt, die wissen wollten, was ich vorhatte, um sie zu retten, denn zwei Mahlzeiten sättigten den Oger nicht lange.

Er würde bald zurückkommen und mehr wollen.

»Und?«, fragten sie erwartungsvoll und starrten mich an. »Wie lautet dein genialer Plan, Jack?«

Außer Kontrolle

Ich kletterte auf den Stumpf neben Nancy, um dem Gedränge zu entkommen, und suchte fieberhaft nach einem Plan.

Es war mir schon immer unangenehm gewesen, wenn zu viele Menschen mich anstarren.

»Wir müssen bedenken«, begann ich, »nun ja … ich würde sagen, es wäre eine gute Idee … oder vielleicht könnten wir auch … unter den Umständen …«

Es war hoffnungslos. Jeder Gedanke, den ich je gehabt hatte, tröpfelte aus meinem Kopf wie Limonade aus einem löchrigen Eimer.*

Als der Oger sich Tante Brunhilda geschnappt

---

* Mal angenommen, dass man seine Limonade in einem löchrigen Eimer aufbewahrt.

hatte, hatte ich keinen Plan gebraucht. Ich hatte einfach ohne nachzudenken mein Katapult genommen und den Stein sprechen lassen.

Jetzt war es komplizierter, wo es Regeln für Monsterjäger gab und alle sich auf mich verließen. Was würde *Monsterjagen für Anfänger* dazu sagen?

Das war es!

Stoop hatte behauptet, dass alles, was ich wissen musste, in diesem Buch stand. Es gab keinen besseren Moment als diesen, um es zu überprüfen. Ich nahm das Buch, schlug es auf und hoffte, es würde nicht allzu lange dauern, die Antwort zu finden.

Die Menge wurde schon unruhig.

»Wir haben nicht den ganzen Tag Zeit!«, rief jemand aus den hinteren Reihen.

»Also, ich schon«, sagte jemand anders.

»Ich auch«, fügte eine Stimme hinzu.

»Halt du dich da raus!«, sagte die erste Stimme.

»Du hast mir gar nichts zu sagen!«

»Ich sage, was ich will!«

»Bitte«, flehte ich. »Nicht streiten!«

Es half nichts. Die Lage geriet außer Kontrolle. Bald würde es Faustschläge hageln.

»Moment mal«, sagte der Bürgermeister.

Er war endlich aus seinem Versteck gekommen, stand vor mir und musterte mit zusammengekniffenen Augen den Einband meines Buchs.

»Du bist noch nicht mal ein ausgebildeter Monsterjäger?«, sagte er. »Du bist bloß ein AN-FÄNGER?«

Die Stadtbewohner hörten auf sich zu kabbeln und starrten mich an.

»Ich kann doch auch nichts dafür, dass ich noch neu bin«, sagte ich. »Jeder fängt mal klein an!«

Ich hätte ebenso gut Kauderwelsch sprechen können, so viel Beachtung fanden meine Worte.

Wütend bahnte Stoop sich mit den Ellbogen einen Weg nach vorne, um mit dem Bürgermeister zu sprechen. »Wir sind nicht den ganzen Weg hierhergekommen, um herumzustehen und zu schnattern«, sagte er. »Wollen Sie jetzt unsere Hilfe mit dem Oger, oder nicht?«

»Darf ich fragen, was Sie das angeht?«, gab der Bürgermeister zurück und blinzelte unter seiner Hutkrempe auf Stoop herab.

»Nur zu Ihrer Information«, sagte Stoop, »zufällig bin ich ein ausgebildeter Monsterjäger, und Jack ist mein Lehrling, also wenn ein Oger, der hier sein Unwesen treibt, uns nichts angeht, dann weiß ich auch nicht.«

Der Bürgermeister schnaubte verächtlich.*

»Sie sind nicht gerade groß, wie?«, sagte er.

»Nicht gerade groß?«, wiederholte Stoop herablassend. »Ich möchte Sie darauf hinweisen, dass ich schon zweimal die Silbermedaille beim großen Monsterjagdturnier gewonnen habe. Ich hätte Gold geholt, wenn da nicht diese Schwedin mit den Zöpfen gewesen wäre, die den Rekord im Koboldwrestling hält.«

Die Menge schenkte auch ihm keine Beachtung.

Kopfschüttelnd gingen die Leute auseinander, während der Bürgermeister ihnen ein paar »echte Monsterjäger« versprach, gleich bei der nächsten Gelegenheit und ohne Kosten und Mühen zu scheuen.

»Was habe ich gesagt?«, sagte Stoop. »Bei manchen Menschen lohnt sich das Retten einfach nicht.«

* *Anders kann man gar nicht schnauben.*

»Hör nicht auf sie, Jack«, sagte Nancy, während ich ihnen mit dem Gefühl nachblickte, alle enttäuscht zu haben. »Ich bin mir sicher, dass du deine Sache gut machen wirst.«

»Ach wirklich?«, fragte ich.

»Natürlich! Du hast doch schon einen Oger umgelegt. Ein zweiter wird ein Kinderspiel.«

Stoop und ich wechselten einen verlegenen Blick.

»Bringen Sie ihr die schlechte Nachricht bei, oder soll ich?«, flüsterte ich.

Auf
und
davon

Wir durften vielleicht keine Monster töten, aber wir konnten die Bäckerin und die Kerzenmacherin doch nicht einfach ihrem Schicksal überlassen.

Ich bestand darauf, dass wir ohne weitere Verzögerung den Hügel hinaufstiegen, um sie zu retten, vorausgesetzt, dass sie noch nicht verspeist worden waren, denn sonst wäre nicht mehr viel zum Retten übrig.

»Komm doch mit«, sagte ich zu Nancy, die mir wie ein Mädchen vorkam, das man gerne an seiner Seite hatte, wenn es brenzlig wurde.

»Davon kann mich sowieso keiner abhalten!«, rief sie. »Königsruh ist jetzt meine Stadt. Ich habe die Pflicht, sie vor Bedrohung, Gefahr und Unheil zu beschützen.«

»Solltest du nicht deiner Mum und deinem Dad sagen, wo du hingehst?«, fragte ich.

Dad hätte mir nie erlaubt, mit zwei wildfremden Monsterjägern gegen einen Oger zu kämpfen.

Er hätte mir nicht mal erlaubt, mit zwei süßen kleinen Kätzchen zu spielen, weil sich herausstellen könnte, dass ich gegen Katzenhaare allergisch bin.

»Meinem Dad kann ich es nicht sagen. Der ist tot«, erklärte Nancy nüchtern. »Und meine Mum ist auf Dienstreise, aber sie weiß, dass ich auf mich selbst aufpassen kann. Sie sagt immer, dass man nie weiß, was im Leben passiert. Deshalb sollte man lieber tun, was man will, selbst wenn es ein bisschen gruselig ist, als herumzuhocken und zu jammern, dass man es gerne getan hätte.«

»Ein gutes Motto«, stimmte ich ihr zu. Ich hatte mich immer nach einem Abenteuer gesehnt und jetzt erlebte ich eins und wünschte mir, Dad wäre bei mir, damit wir das Abenteuer zusammen erleben könnten.

Während wir auf den Hügel stiegen, nutzte ich die Gelegenheit und erzählte Nancy, was passiert war, seit ich vor einer Woche von der Schule nach

Hause gekommen und mein Dad verschwunden gewesen war.

Ihr von Mum zu erzählen, fiel mir leichter als bei anderen Menschen. Wenn irgendjemand verstehen konnte, wie sich das anfühlte, dann sie.

Auch sie war der Meinung, dass Dads Verschwinden etwas mit dem Oger zu tun haben musste, der Tante Brunhilda in unserem Garten verputzen wollte, und das wiederum, sagte Nancy, müsse mit dem Oger in Königsruh zu tun haben, denn das Auftauchen von gleich ZWEI Ogern wäre ein allzu unwahrscheinlicher Zufall.

Nun war ich noch entschlossener herauszufinden, wohin diese neue Spur führte, aber der Anstieg dauerte viel länger, als er hätte dauern sollen.

Die Kerzenmacherin hatte, was hilfreich war, Brötchenkrümel gestreut wie Hänsel und Gretel, und Stoop bestand darauf, was weniger hilfreich war, jeden einzelnen einzusammeln und aufzuessen.*

Folglich war kein Fitzelchen von der Bäckerin

---

* *Die Marmeladenplätzchen, erklärte er später, hatten ihm erst so richtig Appetit gemacht.*

und der Kerzenmacherin zu sehen, als wir endlich
die Hügelkuppe erreichten, und von Dad auch
nicht. Aber wenn man es recht bedachte, war es
wohl auch etwas viel erwartet, dass wir auf die
Hügelkuppe kamen und Dad dort oben saß.

Dafür sahen wir etwas anderes: den Eingang zu
einer Höhle. Vor der Höhle flackerte ein Feuer, und
über dem Feuer baumelte ein riesiger Kochtopf.
Der Oger – der sich mittlerweile eine Hose angezo-
gen hatte und mir einen zweiten Blick auf seinen

knubbeligen Allerwertesten ersparte – wandte uns
den Rücken zu, während er im dampfenden Inhalt
des Topfes rührte. Ich wollte mir gar nicht aus-
malen, was (oder wer) da wohl drin war, aber ich
musste zugeben, dass es ziemlich lecker roch.

Es roch so lecker, dass einem Riesenfurzdudler
das Wasser im Munde zusammengelaufen wäre –
und dabei haben Riesenfurzdudler laut *Monsterjagen für Anfänger* gar keinen Mund.

Lest selbst, wenn ihr mir nicht glaubt.

Riesenfurzdudler

Diese Monster heißen so, weil sie riesig sind, weil sie ständig furzen und außerdem gerne dudeln, am liebsten beim Furzen. Vor allen Dingen sollte man über sie wissen, dass sie keine Münder haben. Wie Riesenfurzdudler essen, wenn sie keine Münder haben? Frag nicht. Bitte. Sonst vergeht dir der Appetit. Hast du nicht gehört? Ich habe gesagt, frag nicht! Ich sage es nicht noch mal. Na schön, wenn du es unbedingt wissen musst, sie essen mit dem Hintern. So, bist du nun zufrieden? Ich habe doch gesagt, es ist besser, wenn man es nicht weiß!

# Ideen?

Wir versteckten uns außer Sichtweite des kochenden Ogers, um unsere nächsten Schritte zu planen.

»Wenn wir ihn nur nicht fangen müssten«, seufzte Nancy, die noch immer nicht glauben konnte, was wir ihr schließlich doch noch gebeichtet hatten – dass wir keine Monster töten durften.

Sie hatte nicht unrecht. Es wäre die perfekte Gelegenheit gewesen, sich von hinten anzuschleichen und ihn kaltzumachen.

»Könnten wir nicht diesen Felsen auf ihn rollen und so tun, als wäre es ein Unfall gewesen?«, fragte ich.

»Damit könnten wir einen Erdrutsch auslösen«, erwiderte Stoop. »Königsruh würde verschüttet werden. Warum sollen wir die Menschen vor einem

Oger retten, wenn sie am Ende doch alle platt gewalzt werden?«

Es würde überhaupt niemand platt gewalzt, solange sie ein Wörtchen mitzureden hätte, erklärte Nancy. Die Bewohner des Städtchens seien vielleicht nicht die hellsten, aber das hätten sie nicht verdient.

»Ein Erdrutsch könnte einem Oger sowieso nichts anhaben«, fügte Stoop hinzu. »Oger werden gerne ein bisschen zermatscht. Habt ihr schon mal gesehen, wie ein Gebäude von einer Abrissbirne zerstört wird?«

»Klar.«

»Dann schaut beim nächsten Mal genau hin. Meistens hängt ein Oger an der Kette. Das machen viele nach ihrer Wiedereingliederung. Sie arbeiten auf dem Bau und reißen alte Gebäude ab.«

»Wenn die so viel aushalten«, sagte ich, »wieso konnte ich den Oger heute Morgen mit einem einzigen Stein umhauen?«

Stoop zuckte mit den Schultern.

»Keine Ahnung«, sagte er. »War wohl Glück.«

»Nicht für den Oger«, bemerkte Nancy.

»Ich habe einen Vorschlag«, sagte ich, obwohl ich noch immer nicht wusste, wie wir die Welt vor blutrünstigen Monstern retten sollten, wenn wir ihnen noch nicht mal den kleinsten Kratzer zufügen durften. »Wie wäre es, wenn wir eine Grube ausheben und mit Nägeln auslegen ... äh, ich meine, mit weichen Kissen ... und dann warten, bis er hineinfällt?«

»Geht nicht«, sagte Stoop.

»Warum nicht?«

»Wir haben keine Schaufel. Und keine Nägel ... äh, weichen Kissen.«

»Können wir ihm nicht die Augen verbinden, sodass er nicht sehen kann, wo er hingeht, und ihn an einen Abgrund locken?«, schlug Nancy vor.

»Gute Idee«, sagte ich und stellte mir den wohlklingenden **FLATSCH** vor, wenn der Oger im Meer landete.

»Das war in den guten alten Zeiten meine Lieblingsmethode«, bekannte Stoop wehmütig. »Aber das dürfen wir auch nicht mehr. Die Monster haben sich beschwert, weil das angeblich Schummelei ist. Sie können es auch gar nicht leiden, wenn man ihnen die Schnürsenkel zusammenbindet. Deshalb tragen die meisten Monster heutzutage Schuhe mit Klettverschluss.«

Was wir in diesem Moment wirklich hätten gebrauchen können, waren abnehmbare Köpfe, um sie zu schütteln und zu sehen, ob irgendwelche brauchbaren Gedanken herauskamen, so wie man Steinchen aus Schuhen schüttelt.

»Versuch's mal mit dem Buch«, riet Nancy.

»Es ist nicht groß genug, um ihn damit k. o. zu schlagen.«

»Ich meine doch: Schau nach, was drinsteht!«

»Ja, natürlich! Warum bin ich nicht selbst darauf gekommen?«

Was würde Jack tun?

Ich zog *Monsterjagen für Anfänger* hervor und
schlug die entsprechende Seite auf.

Die 100 besten Wege,
einen Oger zu besiegen

Eins: Probier's mal mit Dynamit.

»Geht nicht«, sagte Nancy. »Wie Stoop schon mehr-
fach betont hat, ist Töten verboten, und mit Dynamit ist nicht zu spaßen.«

Dreizehn: Spieß den alten Tölpel auf wie einen
Kebab.

Neununddreißig: Überrede ihn dazu, in einem
Fass voller brodelnder Säure zu baden.

Fünfundsechzig: Miete einen Helikopter und
lasse einen anderen Oger auf das Zielobjekt fallen. Der Aufschlag sollte mindestens einen der
beiden töten.

»Das Buch ist keine Hilfe«, stellte ich fest. »Wir
dürfen das alles gar nicht.«

»Falsch«, sagte Nancy, die weitergelesen hatte.

Sie zeigte mit dem Finger auf den letzten Vorschlag.

Einhundert: Wenn es aus irgendeinem abwegigen Grund keine Option ist, den Oger zu töten, gibt es noch eine andere Methode, die vielleicht, na ja, eventuell, also womöglich funktioniert, aber sie macht nicht mal halb so viel Spaß wie die anderen 99. (Einzelheiten dazu unter »Jack und die Bohnenranke«.)

»Jack und die Bohnenranke« war eine Geschichte, die Mum mir immer vorgelesen hat, als ich klein war. Ich habe sie so oft gehört, dass ich sie schließlich bat, mir bitte, bitte, bitte eine andere Geschichte vorzulesen, sogar so eine dieser richtig nervigen Geschichten, die alle Lehrer lieben, mit Botschaften z. B. wie wichtig es ist, nett zu sein oder nie zu lügen oder zuerst an andere zu denken.*

Ich versuchte also, mich an die Geschichte dieses

---

* Das soll nicht heißen, dass man mit Absicht unfreundlich sein oder lügen oder nur an sich denken sollte, aber man muss es nicht ständig sagen. Nur weil wir Kinder sind, sind wir noch lange nicht blöd.

anderen Jungen namens Jack zu erinnern, der eine Kuh gegen ein paar Bohnen eintauschte. Die Bohnen wuchsen über Nacht zu einer riesigen Bohnenranke, die bis in den Himmel reichte, und er kletterte daran hoch bis zu dem Schloss eines Riesen in den Wolken und klaute dort einen Beutel Goldmünzen, ein Huhn, das goldene Eier legte, und …

»Eine magische Harfe!«, rief ich triumphierend. »Der Jack in der Geschichte hat den Riesen mit einer magischen Harfe eingeschläfert!«

Ich knallte das Buch zu.

»Ihr habt nicht zufällig eine magische Harfe dabei?«, fragte ich meine Mitstreiter.

»Leider nicht«, sagte Nancy.

»Ich leider auch nicht«, sagte Stoop.

»Ich schon«, sagte eine tiefe Stimme hinter uns.

Drei werden Vier

Mit einem Schlucken – besser gesagt, mit drei Schlucken, einem pro Person – drehten wir uns um und erwarteten, den Oger vor uns zu sehen, der sich in seinen Klettschuhen angeschlichen hatte.

Stattdessen saß ein paar Meter vor uns ein trübsinnig dreinblickender Bär.

»Macht euch nicht in die Hosen«, sagte er und verdrehte die Augen, während wir alle vor Angst erstarrten wie Erbsen im Eisfach. »Ich fresse euch nicht. Warum denken immer alle, ich wollte sie fressen?«

»Weil du so große Zähne hast?«, sagte Snoop.

»Du hast eine große Nase«, entgegnete der Bär. »Aber das heißt trotzdem nicht, dass du mich totschnüffeln wirst, oder?«

»Ich denke nicht«, sagte Stoop.

»Da denkst du richtig«, sagte der Bär. »Überleg doch mal: Warum sollte ich mich mit euch dreien anlegen, wenn ich Boffin eins auswischen könnte?«

»Wer ist Boffin?«, fragte Nancy.

»Der Riese da unten.«

»Das ist ein Oger«, verbesserte ich.

»Was ist der Unterschied?«, fragte der Bär.

»Na ja, ein Riese ist eher … während ein Oger mehr … «

Ich verstummte und sah Stoop hilfesuchend an.

»Riesen sind nicht ganz so dumm«, erklärte Stoop. »Außerdem sind sie gegen die Farbe Blau allergisch, und sie können nur sonntags Größe und Gestalt wechseln, Oger dagegen immer, sie tun es nur nicht.«

»Was ist mit Trollen?«, hakte Nancy ein.

»Ich habe nicht den ganzen Tag Zeit, hier herumzustehen und die Unterschiede zwischen Monstern zu erklären!«, brüllte Stoop. »Trolle verwandeln sich bei Sonnenlicht in Stein. So, bist du nun zufrieden?«

»Na, ich bin jedenfalls froh, wenn sie hier verschwinden, egal was genau sie sind.« Der Bär seufzte tief. »Das ist nämlich meine Höhle, in der sie wohnen, seit sie mich letzte Woche rausgeworfen haben.«

Ich wollte gerade Mitleid mit ihm kriegen, als mir aufging, was er gesagt hatte.

»Hast du gesagt … *sie*?«, fragte ich.

»Du hast doch nicht etwa gedacht, der wäre

allein?«, erwiderte der Bär. »Ich habe sieben ge-
zählt, aber da Bären nur bis sieben zählen können,
könnten es mehr sein. Ich kann es nicht sagen.«

»Zeig sie uns«, bat Stoop.

Der Bär, der übrigens Humbert hieß, wie er uns
unterwegs erklärte – nicht, dass jemand gefragt
hätte, und er wollte auch keine große Sache draus
machen, aber es gilt ja allgemein als höflich, sich
beim ersten Treffen vorzustellen –, führte uns um
den Hügel.

Dort lag die Hintertür, hinter einem Busch versteckt, um sie vor Einbrechern zu verbergen.*

Sobald wir drinnen waren, stieg mir ein übler
Gestank in die Nase, aber ich wollte nichts sagen,
falls Bärenhöhlen immer so riechen. Ich war noch
nie in einer gewesen und wollte Humbert nicht
kränken.

Doch schon bald bekam ich die Antwort.

---

* Warum die Einbrecher nicht einfach den Haupteingang nahmen, wo
  überhaupt keine Tür war, sondern nur ein großes Loch, weiß ich nicht.
  Vielleicht brauchen Einbrecher eine gewisse Herausforderung.

In der Höhle

»Puh«, flüsterte Stoop. »Haben die noch nie was
von Seife gehört?«

Humbert hatte recht – Boffin war etwa so allein
wie ein australisches Schnabeltier, das all seine aus-
tralischen Schnabeltier-Brieffreunde zu einem aus-
tralischen Schnabeltier-Brieffreundetreffen eingeladen hat.

Überall türmten sich schlafende Oger. Sie
schlummerten auf dem Boden. Sie schnarchten in
den Ecken. Sie lagen übereinander wie Mäntel auf
dem Bett bei einer Party.

Manche hatten Stoßzähne. Manche hatten Hörner. Manche hatten Stoßzähne, die wie Hörner aussahen, und einer hatte ein Horn, das wie der Tower
of London aussah. Ein anderer hatte überhaupt

kein Horn, weil er nämlich keinen Kopf hatte und daher auch keinen Platz für ein Horn. Er hatte im Leben sicher viel Geld gespart, weil er keine Hüte brauchte.

Es waren eindeutig mehr als sieben.

Und mehr als dreizehn.

Es waren so viele, dass ich, wenn ich hätte schätzen müssen, in etwa gesagt hätte: »Hoppla, verschwinden wir lieber« oder aber auch »HAST DU NICHT GEHÖRT, WAS ICH GERADE GESAGT HABE?«

»Angeblich haben sie mich nur deshalb nicht gefressen, weil ich zu haarig bin«, bemerkte Humbert.

»Niemand mag es, wenn es auf der Zunge pikst«, stimmte Stoop zu.

»Deshalb haben sie mich laufen lassen«, sagte der Bär. »Aber jetzt habe ich keinen Schlafplatz mehr, und am Montag ist die Miete fällig. Was soll ich nur machen?«

Ich musste zugeben, dass das eine **sehr gute Frage** war. Doch bevor ich mir eine **sehr gute Antwort** überlegen konnte, schlug Humbert die

Pfoten über die Ohren, als hätte er ein unhöfliches Wort gehört.

Hatte er zwar nicht, aber es war trotzdem gut, dass er sich die Ohren zuhielt, denn genau da sprudelten eine ganze Menge unhöflicher Wörter aus Stoop heraus, weil plötzlich ein ohrenbetäubender Lärm die Luft erfüllte.

WAS UM ALLES IN DER WELT WAR DAS FÜR EIN TOHUWABOHU?

Tohuwabohu

Wenn man je mit dem Gedanken spielt, ein Tohuwabohu zu suchen, lautet der beste Rat: Überleg es dir
gut. Die einzige Monsterjägerin, die überlebt hat, hat
sich die nächsten sechs Monate unterm Bett versteckt
(es war nicht mal ihr eigenes Bett) und konnte die
ganze Zeit nichts anderes sagen als »Verflixt!« und
»Zugenäht!« und »Das soll wohl ein
Witz sein!« Als sie sich schließlich erholt hatte, zeichnete sie
das einzige bekannte Bild eines
Tohuwabohu, und darauf konnte man sehen, dass es
eine ziegenartige Bestie mit einem so fürchterlichen
Blick ist, dass er Kiesel in Steine verwandeln kann
(aber weil Kiesel bereits Steine sind, hat das nie jemand bemerkt). Sie können auch sechs Eier in ein
Omelette verwandeln, aber das kann jeder, der eine
Bratpfanne und einen Klecks Butter hat, also ist es
nicht ganz so beeindruckend. Alles in allem klingt
das vielleicht nicht besonders grauenvoll, aber die
Zahlen sprechen für sich. Legt euch nicht mit einem
Tohuwabohu an! Tohuwabohus sind schlimmer als
Feen, und wir wissen alle, was für grässliche Biester
das sind.

Auf Zehen- und Pfotenspitzen

Um es gleich vorwegzunehmen, es war kein Tohuwabohu. Das hier ist ein Tohuwabohu.

Unser Tohuwabohu war ein lautes Geschepper und kein Monster. Es fühlte sich so an, als würde uns jemand mit einem großen Kochtopf auf den Kopf schlagen.

So stellte ich es mir zumindest vor, denn ich war noch nie mit einem Topf irgendeiner Art geschlagen worden.*

Das Scheppern kam von einem kupfernen Gong.

---

* Tante Brunhilda hat nur einmal eine Müslischale nach mir geworfen, als ich so frech war, ihr einen guten Morgen zu wünschen, aber ich konnte der Schale ausweichen, bevor ihre Flugbahn sich mit meinem Schädel kreuzte.

Boffin schlug den Gong, um die anderen Oger zum Mittagessen zu rufen.

Nach und nach wachten sie auf, rieben sich die Augen und furzten, bevor sie nach draußen wankten und ihre Köpfe in den Eintopf tauchten, um direkt aus dem Topf zu **schlürfen**.

Sie hatten die fürchterlichsten Essmanieren, die ich je gesehen habe, und das will etwas heißen, weil ich einmal beim Mittagessen in der Schule neben Stanley Jenkins sitzen musste, und jeder weiß, wie eklig es zugeht, wenn er sein Fischbrötchen isst.

Jetzt, wo sie weg waren, konnte ich sehen, in was für einen Saustall die Oger Humberts Höhle verwandelt hatten. Sein Himmelbett war zu einem Ohne-Himmel-Bett geworden, und die Matratze war mit grünem Schleim bedeckt, wie der Strand, wenn die Flut zurückgeht und zu faul ist, den Seetang wieder mitzunehmen.*

Außerdem war überall Schmodder auf Humberts hübschem Teppich, und aus seinem Lieblingssessel schauten so viele Teile der Federung heraus, dass

---

* Ich weiß nicht, was genau das war, aber ich habe den starken Verdacht, dass es aus Ogernasen stammte.

es aussah, als würde jemand mit sehr drahtigen Locken aus dem Sitzpolster steigen.

»Das ist alles höchst sonderbar«, murmelte Stoop. »Oger hassen es, ihr Essen zu teilen. Sie hassen es sogar noch mehr, als zu baden oder frische Unterhosen anzuziehen. Das muss eine AGV sein.«

»Eine AG-Was?«, fragte Humbert.

»Das ist die Abkürzung für **Abscheuliche General-Versammlung**«, erklärte Stoop. »So heißt es, wenn Monster sich treffen, um gemeinsam eine erstklassige Monstrosität zu planen. Von nichts kommt nichts. Viele Monster halten solche Versammlungen ab. Letzte Woche waren es die Patagonischen Killerbienen. Sie haben verabredet, alle ein bestimmtes Lied zu summen, das den Menschen ins Ohr geht, sodass sie es selbst summen müssen, obwohl sie die Melodie schrecklich finden. Die Bienen hoffen, es wird alle wahnsinnig machen.«

»Und wie haben Sie sie aufgehalten?«

»Gar nicht«, erwiderte Stoop. »Der Sommer wird extrem nervig werden.«

»Es ist ja auch völlig egal, was die Oger hier machen. Die Frage ist, wie wir sie daran hindern«, schaltete sich Nancy ein. »Und dafür brauchen wir eine gewisse magische Harfe, falls ihr das vergessen habt. Sollten wir die nicht suchen und dann schleunigst verschwinden, bevor die Oger zurückkommen?«

»Nancy hat recht«, sagte ich, und Nancy stimmte mir aus ganzem Herzen zu.

Humbert führte uns auf Zehenspitzen – oder, in seinem Fall, Pfotenspitzen – zu einem Schrank an der hinteren Wand der Höhle, in dem er die magische Harfe aufbewahrte, die er sich letzten Winter hatte liefern lassen.

Er öffnete die Tür.

Die gute Nachricht war, dass er sofort seine Stricksachen fand, die er hatte zurücklassen müssen, als die Oger ihn rausgeschmissen hatten. Das war sehr ärgerlich gewesen, erklärte er, weil er kurz davor gewesen war, ein neues Paar extrawollige Wollsocken fertig zu stricken.*

Die schlechte Nachricht war, dass die Harfe nicht da war.

---

* *Bären scheuern ständig ihre Socken durch, weil sie so scharfe Krallen haben.*

Und jetzt?

»Die wird schon wieder auftauchen«, sagte Humbert, der nicht die Hoffnung aufgeben wollte. »Nichts geht für immer verloren.«

»Nicht mal Menschen?«, fragte ich.

»Menschen erst recht nicht«, erwiderte der Bär und legte mir seine Riesenpranke auf die Schulter. »Die sind immer bei dir, solange du dich an sie erinnerst.«

»Mir wäre es lieber, *du* würdest dich daran erinnern, wo die verflixte Harfe ist«, knurrte Stoop.

Ich versuchte, mir Humberts Worte zu Herzen zu nehmen, aber das war nicht leicht, denn während wir herumgestanden und uns unterhalten hatten, waren die Oger mit dem Essen fertig geworden und kamen nun lärmend in die Höhle zurück. Der

Weg zur Hintertür war versperrt, und es war aussichtslos, sich zu verstecken. Oger sind vielleicht blöd, aber sie haben einen hervorragenden Geruchssinn. Sie hatten uns nur noch nicht bemerkt, weil sie einander anrülpsten, um herauszufinden, wer den schlimmsten Mundgeruch hatte.*

»Was machen wir jetzt?«, fragte Nancy, während wir uns an die Höhlenwand pressten.

Darauf wusste ich leider keine Antwort.

Dafür wusste ich aber, dass es meine erste Mission als offizieller Monsterjäger war, und ich würde bestimmt nicht so schnell aufgeben.

Es musste doch irgendwo Hilfe geben.

Gab es auch! Ich schlug in *Monsterjagen für Anfänger* unter **H** wie **Hilfe** nach.

Glücklicherweise leuchten die Buchstaben ein bisschen, so wie Glühwürmchen, denn ein Monsterjäger kann schließlich nicht immer eine Taschenlampe zur Hand haben.

Leider stand da nur Folgendes:

* *Das ist ein traditionelles Ogerspiel nach dem Essen und, das muss man ihnen lassen, ziemlich witzig.*

Hilfe!

Ein Ausdruck, der für gewöhnlich laut geäußert wird, wenn Monster in der Nähe sind.

Die Erinnerung hätte ich nicht gebraucht. Seit ich Stoops Lehrling geworden war, war »Hilfe!« quasi mein zweiter Vorname.

Ich wollte das Buch gerade enttäuscht zuklappen, als ich einen Klecks am Rand der Seite bemerkte, der wie Orangenmarmelade aussah.*

Ich wischte ihn mit dem Daumen weg, um zu sehen, was darunter stand.

Wenn in einer brenzligen Situation alles verloren scheint, suche nach einer Geheimtür oder einem Geheimgang. Meistens gibt es einen.

---

* Ich habe ihn nicht probiert, aber es gibt kaum etwas Widerlicheres als Orangenmarmelade. Nein, halt! Gerade ist mir etwas eingefallen, das VIEL widerlicher ist. Und stinkiger. Glücklicherweise war es das auch nicht.

Das klang doch schon besser.

Ich streckte den Arm mit dem Buch aus, damit das Licht auf die Wand fiel.

»Was machst du denn da?«, zischte Stoop. »Gleich sehen sie uns!«

»Haben sie schon«, bemerkte Nancy.

Die Oger machten kein Wettrülpsen mehr. Sie hatten sich mit erstaunten Mienen zum Licht gedreht, als hätte man ihnen eine wirklich schwierige Frage gestellt, etwa: »Wie viel ist eins plus eins?«

»Wir sind erledigt«, murmelte Stoop.

»Nicht, wenn wir da durchkriechen!«, sagte ich.

Das Licht war schwach, aber gerade hell genug, um uns ein Loch in der Wand zu zeigen.

Humbert behauptete, das Loch sei noch nicht da gewesen, als er in der Höhle gewohnt hatte.

Ein weiteres Beispiel für die Schäden, die seine Wohnung erlitten hatte, aber im Moment war es unsere einzige Hoffnung, zu entkommen.

Ich steckte meinen Kopf in das Loch, um irgendetwas auszumachen, und bald schon stellte ich fest, dass ich … gar nichts ausmachen konnte. Ich wollte die anderen fragen, ob sie es für eine gute Idee hielten, hineinzukriechen, aber der Zeitpunkt, **unsere Optionen durchzugehen,** war vorbei. Die Oger hatten unseren Geruch gewittert und stampften durch die Höhle auf uns zu. Ich hielt es für unwahrscheinlich, dass sie sich für unseren Besuch bedanken wollten.

»Spring!«, schrie Stoop.

Bevor ich auf die Gefahren hinweisen konnte, die es mit sich bringt, in mysteriöse Löcher zu springen, ohne zu wissen, was darin lauert, gab er mir einen kräftigen Stoß, und ich stürzte in die Tiefe.

Nancy packte meine Hand, und Stoop packte ihren Pulli, und Humbert packte Stoops Gürtel, und alle zusammen purzelten wir drunter und drüber durch das Loch in der Wand und brüllten dabei einstimmig

»AAAAARRGGGHHH!«

Runter ging's in die
schwarze Leere, tiefer,
tiefer, tiefer und tiefer,
und ich fragte mich, ob
dies der Moment war,
in dem mein Abenteuer
das **düsterste aller
düsteren Enden**
nahm ...

Unter der Erde

Nahm es nicht. Wäre dies das Ende gewesen, hätte ich diese Geschichte ja nicht erzählen können.

Eins habe ich als Monsterjäger jedenfalls gelernt: Egal wie tief ein Loch ist, wenn man nur lang genug fällt, landet man irgendwann …

UNTEN!

Die Frage ist nur, wie weh das tut.

Die Antwort in diesem Fall, wie ich erfreut feststellte, lautete: **nicht sehr weh**.

Weil Nancy und ich nämlich auf Humbert landeten, der weicher als eine Hüpfburg war.

Humbert geschah auch nichts. Es braucht schon mehr als einen Sturz durch ein Loch, um einem Bären etwas anzuhaben.

Stoop hatte weniger Glück. Er war aus irgendeinem Grund als Erster unten angekommen, und Humbert war direkt auf ihm gelandet.

Der Bär rollte sich sofort mit einer tiefempfundenen Entschuldigung von ihm runter und half Stoop auf die Beine, der vor sich hin murmelte, dass er die Rente nicht mehr erwarten könne.

»Ich glaube, wir sind in einem Tunnel«, sagte ich, als sich meine Augen an die Dunkelheit gewöhnt hatten.

»Was du nicht sagst«, knurrte Stoop. Er hatte uns noch nicht verziehen, dass wir ihn zerquetscht hatten.

»Ein Tunnel muss irgendwohin führen«, sagte Nancy, um Stoop von seinen Zipperlein abzulenken. »Und dieses Irgendwo könnte ein Weg nach draußen sein. Ich schlage vor, wir folgen ihm und sehen, wohin er uns bringt.«

Ohne die Meinung der anderen abzuwarten, marschierte sie in die Dunkelheit.

Es blieb uns nichts anders übrig, als ihr zu folgen.

Wir marschierten weiter und weiter durch den dunklen Tunnel, Nancy vorneweg, dann Stoop und ich und Humbert als Letzter. Der Bär nahm ein Wollknäuel aus seinem Strickbeutel und wickelte die Wolle hinter sich ab, damit wir den Weg zurückfänden, falls nötig.

Hier unten war so wenig Licht, dass es keinen Unterschied gemacht hätte, wenn wir die Augen geschlossen hätten. Nach einer Weile half nicht einmal mehr der schwache Schein von *Monsterjagen für Anfänger*.

Tiefer und tiefer drangen wir in die Dunkelheit vor, bis wir einander gegen Nasen und Ellbogen stießen und uns die Köpfe an der niedrigen, knubbeligen Decke anschlugen und auf diverse Zehen traten, was Stoops Laune kein bisschen besserte.*

Der Tunnel machte es uns nicht leicht. Er wand sich wie ein altes Gummiband, und manchmal teilte er sich, um uns zu verwirren. Jedes Mal, wenn wir an eine neue Gabelung kamen, hielten wir an und diskutierten, ob wir rechts oder links gehen sollten.

Humberts Nase erschnüffelte dann die frischere Luft, und den Weg nahmen wir. Manchmal führte er in eine Sackgasse, und Stoop grummelte. Manchmal brachte er uns zurück an den Anfang, und Stoop grummelte auch.

* *Ich begriff so langsam, dass kaum etwas das tat.*

Er grummelte sogar, wenn es so aussah, als liefen wir in die richtige Richtung.

Stoop grummelte einfach gern.

Ich begann mich zu fragen, ob wir jemals wieder aus diesem Berg herauskommen würden. Und was passieren würde, wenn nicht.

Ich würde meinen Dad nie wiedersehen, und Nancy würde ihre Mum nie wiedersehen, und keiner der beiden würde je erfahren, was mit uns passiert war.

Außerdem würde niemand die Bewohner von Königsruh warnen können, dass hier oben nicht nur ein Oger war, sondern eine ganze Mannschaft, und dass sie vermutlich nicht hier waren, um Schlagball zu spielen.

»Du hast ganz schön düstere Gedanken, hm?«, sagte Nancy.

»Kannst du etwa hören, was ich denke?«, fragte ich.

»Nein, aber hier unten ist es dunkler als im Inneren einer Eichel, und du hast ewig nichts gesagt. Ich dachte, du wirst **langsam mutlos**.«

»Du etwa nicht?«

»Überhaupt nicht«, sagte sie und zeigte mit dem Finger. »Guck, da vorne ist Licht.«

Konnte es wirklich sein, dass wir den Weg nach draußen gefunden hatten?

Es wird noch rätselhafter

Mit den schlimmsten Befürchtungen wagte ich mich vor und spähte um die Ecke. Und richtig, weiter hinten erblickte ich einen Tunnel, der ins Tageslicht führte, aber um dahin zu gelangen, mussten wir eine Höhle durchqueren.

Anders als Humberts Höhle war diese hier weitgehend leer, bis auf einen riesigen Lehnstuhl und einen Tisch, neben dem eine große Flasche mit einem knallgrünen Inhalt stand. Das einzige andere Möbelstück war ein enormer Käfig, der so vor dem Sessel stand, dass ein darin sitzender Oger ihn betrachten konnte wie seine Lieblingssendung im Fernsehen.

Und in dem Käfig saßen die Bäckerin und die

Kerzenmacherin und teilten sich die letzten Krümel ihrer Kaisersemmeln.

Ich hätte jubeln können.

Sie waren gar nicht im Eintopf gelandet!

Und sie waren auch nicht allein. Bei ihnen waren noch etwa dreißig andere Menschen. Das mussten die ganzen Leute sein, die Boffin auf seinen vielen Stippvisiten im Städtchen hatte mitgehen lassen.

Was war hier los? Zuerst hatten sich die Oger aus einem uns unbekannten Grund in der Höhle auf dem Hügel versammelt. Und dann waren die Stadtbewohner entführt worden ... aber nicht gefressen.

Stattdessen hatte Boffin sie hier heruntergebracht und in diesen Käfig gesperrt.

Ich schüttelte den Kopf. Was sollte das bedeuten? Doch jetzt war nicht der richtige Zeitpunkt, darüber nachzudenken.

Der Oger, der die Gefangenen bewachte, konnte jeden Moment zurückkommen.

Nancy und ich ließen Stoop und Humbert den Tunnel bewachen, schlichen auf Zehenspitzen zum Käfig und klopften sachte an die Stäbe, um die Gefangenen auf uns aufmerksam zu machen.*

Augenblicklich sprangen sie auf die Füße und begannen alle durcheinander zu reden und zu fragen, warum es so lange gedauert hatte, bis man sie befreite.

»Leise!«, flüsterte ich. »Wir überlegen, wie wir euch hier rausholen.«

»Nehmt doch den Schlüssel«, sagte die Bäckerin.

»Welchen Schlüssel?«

»Was glaubst du, welchen Schlüssel? Natürlich den, der an der Wand neben dem Feuer hängt«, fauchte die Kerzenmacherin, als hätte ich das selber wissen müssen.

Ich muss gestehen, ich hatte nicht damit gerechnet, dass sie so frech waren. Anscheinend waren viele Gerettete nicht immer so dankbar über ihre Rettung, wie man erwarten könnte.

Ich rannte zur Feuerstelle.

---

* *Ich war ziemlich enttäuscht, dass Dad nicht darunter war. Irgendwie hatte ich gehofft, ihn zu sehen.*

Da hing der Schlüssel. Ich musste nur die Hand
ausstrecken und ihn nehmen …

»Nicht, Jack!«, schrie Nancy.

Doch die Warnung kam zu spät.

»AAAAAUUUU!«

Noch ein Rumms

Ich hatte vergessen, wie heiß Eisenschlüssel werden, wenn sie über lodernden Flammen hängen.

Während ich den Schlüssel von Hand zu Hand jonglierte, um ihn abzukühlen, und mir ein paar Topflappen wünschte, begriff ich, dass geschmorte Finger mein geringstes Problem waren.

»Hilfe! Hilfe!«, schrie der Schlüssel mit schriller Stimme. Das war seltsam, wenn man darüber nachdachte, weil er – wie der Riesenfurzdudler – keinen Mund hatte.*

»Er hat nicht gewusst, dass magische Schlüssel sprechen können!«, spottete die Bäckerin, und alle lachten. Ich merkte, dass ich rot wurde.

---

* Er hatte auch keine Nase oder Augenbrauen, aber das wisst ihr sicher, wenn ihr schon einmal einen Schlüssel gesehen habt.

Was war bitte mit denen los? Machte es ihnen etwa Spaß, in diesem Käfig zu sitzen?

Ihr Spott wich ängstlichem Gewimmer, als plötzlich laute Schritte aus dem Tunnel zu hören waren.

Der Oger, der sie bewachte, hatte wohl das Kreischen des Schlüssels gehört und kam zurück, um nach dem Rechten zu sehen.

Das war meine Chance. Ich würde ihnen zeigen, was ich draufhatte.*

Ich hatte keine Zeit, um mir einen schlauen Plan zu überlegen. Ich hatte nicht mal Zeit, um mir einen dummen Plan zu überlegen.

Wie Tante Brunhilda auf dem Dachboden, als sie nach dem Silberhorn gegriffen hatte, schnappte ich mir einfach den nächstbesten Gegenstand, der mir in die Finger kam, nämlich die Flasche mit der knallgrünen Flüssigkeit, kletterte auf einen Felsen und wartete, dass die stampfenden Füße näher kamen.

Als der Oger erschien, **rummste** ich ihm mit der Flasche gegen den Hinterkopf. Er fiel mit dem Gesicht voran auf den Boden und lag ganz still.

* *Hoffentlich.*

»Du hast doch wohl nicht *noch* einen Oger getötet«, sagte Stoop entnervt. »Wir müssen sie lebendig fangen! Diese Geschichte wird Unmengen von Papierkram nach sich ziehen!«

»Ich habe überhaupt keinen Oger getötet! Der andere ist aufgestanden und weggerannt, schon vergessen? Und der da atmet noch … oder?«, fügte ich nervös hinzu, als er sich nicht rührte.

Nancy fühlte seinen Puls und bestätigte, dass der Oger kein bisschen tot war.

Wir hatten keine Zeit zu verlieren. Das Monster konnte jeden Moment aufwachen.

Wir mussten die Gefangenen befreien.

Vier werden
wieder drei

Der Schlüssel hatte sich etwas abgekühlt, sodass
ich ihn Humbert zuwerfen konnte. Er schloss den
Käfig auf und ließ alle Menschen frei, die Boffin
gefangen hatte.

Erstaunlicherweise hatten sie keine Angst
vor ihm, anders als wir bei unserer
ersten Begegnung mit dem Bären. Sie
schienen gar nicht zu merken, dass er
ein Bär war. Sie hiel-
ten ihn einfach für
einen großen

haarigen Kerl mit etwas zu langen Fingernägeln. Eine Dame fragte ihn, wo er seinen Pelzmantel gekauft habe, und eine andere empfahl ihm einen guten Friseur. Die übrigen sagten nur, dass sie gerne nach Hause gehen würden, wenn wir nichts dagegen hätten, weil sie eine ganze Weile in diesem Käfig gesessen hatten, ohne WC, und kurz vorm **PLATZEN** waren.

Humbert war entzückt. Er habe immer Angst gehabt, sagte er, in die Stadt zu gehen, weil er fürchtete, dass alle schreiend vor ihm wegliefen, was einer der sechs Gründe sei, warum er sich alle Einkäufe, einschließlich der Wollknäuel und magischen Harfen, direkt nach Hause liefern ließ.*

»Am besten begleitest du sie«, sagte ich zu Humbert, als die Stadtbewohner sich geräuschvoll auf den Weg zum Ausgang machten. Es schien ihnen nicht klar zu sein, dass sie immer noch in Gefahr schwebten. »Wenn keiner auf sie aufpasst, schnappt sie gleich der nächste Oger.«

Humbert war einverstanden.

* *Nach den anderen fünf Gründen müsst ihr ihn selbst fragen. Die hat er nicht genannt.*

Er versprach auch, den Bürgermeister zu warnen, dass auf dem Hügel eine kleine Oger-Armee hauste, und dass Königsruh sich schon bald in ein Ogerbuffet verwandeln würde, wenn er nichts dagegen unternahm. Ich ließ ihn nur ungern gehen, aber es war gut zu wissen, dass es wenigstens einen Menschen ... äh, Bären ... gab, der den Ernst der Lage erfasste.

»Viel Glück, Jack!«, sagte Humbert, als er die letzten Städter aus der Höhle trieb wie verstreute Ziegen und sich ein letztes Mal zu uns umdrehte. »Ich bin sicher, wir sehen uns wieder.«

Ich hoffte, dass er recht behielt, aber es war nun mal so: Ich hatte vielleicht die Stadtbewohner gerettet,* aber ich hatte noch immer nicht meinen Dad gefunden und ich hatte noch immer keine Ahnung, warum die Oger hier zusammengekommen waren.

Vielleicht würde dieser Oger mir endlich ein paar Antworten geben?

Nancy, Stoop und ich bückten uns und rüttelten

* *Vorerst.*

und schüttelten den Oger, um ihn auf den Rücken zu drehen.

Es fühlte sich so an, als wären wir drei Käfer, die versuchen, einen umgestürzten Baum umzudrehen.

Der Oger rührte sich nicht von der Stelle.

Da hatte die Nancy die Idee, ihn zu kitzeln, und das half.

Der Oger zappelte so sehr, als wir ihn unter den Armen kitzelten, dass er sich ganz allein umdrehte.

Ich sah sofort, dass es nicht Boffin war. Dieser Oger trug eine dicke Beule zwischen den Augen.

Die Art Beule, die man von einem Stein bekommt. Die Art Stein, die von einem Katapult geschleudert wird. Die Art Katapult, die einem Jungen gehören könnte namens …

»Jack«, sagte Stoop kopfschüttelnd. »Jetzt bist du dran!«

Kein Zweifel. Es war der Oger, den ich am Morgen in unserem Garten abgeschossen hatte, und ich war mir ziemlich sicher, dass er nicht erfreut sein würde, mich zu sehen.

Ächzen und Stöhnen

Irgendwie hievten wir den Oger in den Lehnstuhl, und ich suchte nach einem Kragen, den ich lockern konnte, denn ich hatte irgendwo gehört, dass man das bei Ohnmächtigen tun soll. (Ich hatte nie einen **Erste-Hilfe-Kurs für Monster** besucht, aber ich nahm an, dass es auch bei ihnen half.)

In diesem Fall half es allerdings nicht.

Das Hemd, das der Oger trug, war ihm viel zu klein. Der Kragen saß so eng um seinen dicken Hals, dass es so war, als wollte man eine sehr starke und entschlossene Pythonschlange von seinem Hals lösen.

Also fächelte ich ihm stattdessen Luft mit dem Monsterjägerbuch zu.

Die Augen des Ogers öffneten sich langsam wie

Muscheln, die zaghaft ihr Gehäuse aufklappen, unsicher, was sie sehen würden.

Als das, was sie sahen, ich war, begann der Oger die allerungewöhnlichsten Geräusche auszustoßen, als würden die Mandeln in seiner Kehle aneinanderreiben wie Mühlsteine.

»Spricht er Ogerisch?«, fragte ich Stoop.

»Nein«, sagte Stoop. »Das ist eher ein Ächzen und Stöhnen. Aber er scheint sich sehr anzustrengen, etwas zu sagen. Halt dein Ohr näher an seinen Mund, damit du ihn verstehen kannst.«

»Und wenn er mich beißt?«, fragte ich besorgt.

»Keine Sorge, ich habe Taschentücher dabei. Damit kannst du das Blut abwischen, sodass dein Hemd keine Flecken bekommt.«

»Das ist meine kleinste Sorge!«

Ich kam aber gar nicht in die Gefahr, gebissen zu werden. Der Oger schaffte es, drei kleine Wörter durch seine gewaltigen Lippen zu pressen.

Diese Wörter waren »kenne«, »dich« und »ich«, auch wenn er sie in anderer Reihenfolge ausstieß. Anders hätten sie keinen Sinn ergeben.

»Ich kenne dich«, sagte er mit belegter Stimme.

»Mich?«, erwiderte ich nervös.

»Ja, dich. Dein Name ist ...« Er runzelte die Stirn, als hätte er Mühe, sich zu erinnern. »Jack! Genau. Jack. Du hast mich heute morgen geschlagen. Mit einem Stein.«

»Ach ja?«, fragte ich.*

»Ja. Das hat wehgetan.«

Er rieb sich die Beule zwischen den Augen, bevor er merkte, dass er jetzt eine neue, noch schmerzhaftere Beule am Hinterkopf hatte. Er versuchte, auch die neue Beule zu reiben, aber sie tat wohl zu weh.

Der Oger starrte mich bekümmert an.

»Sag die Wahrheit«, sagte er mit seiner knirschenden Stimme. »Diese Beule ist auch von dir, stimmt's?«

Ich musste zugeben, dass das stimmte.

»Ich hätte es wissen müssen.« Er runzelte die Stirn. »Aber warum gibt es plötzlich zwei von dir?«

»Gibt es nicht«, sagte ich. »Mich gibt's nur einmal.«

* *Noch nervöser.*

»Stimmt nicht. Da sind ganz sicher zwei. Nein, warte. Jetzt sind es drei.«

Er ließ sich wieder zurücksinken und ächzte weiter.

»Es geht mir nicht gut«, stöhnte er, griff nach der Flasche, die ich ihm gegen den Kopf geknallt hatte, und trank einen großen Schluck.

»Papperlapapp«, sagte Stoop ungeduldig.

»Sag uns alles, was du weißt. Wo findet diese

Abscheuliche General-Versammlung

statt? Wann fängt sie an? Was habt ihr vor? Ich warne dich! Sag es uns, oder dir droht Schlimmeres als ein paar Beulen. Ich reiße dir die Innereien raus und mache sie zu Äußereien! Ich ziehe dir die Mandeln raus und spiele damit Tischtennis. Ich ... Ich ... Jack, was machst du denn da?«

Verstärkung

Was ich da machte, war, dass ich Stoop beiseitezog, um ihm etwas ins Ohr zu flüstern.

»Dürfen wir das wirklich?«, fragte ich, weil er uns ständig einschärfte, dass wir den Monstern nicht wehtun durften, und was er da vorschlug, klang, als würde es sogar ziemlich wehtun.

Stoop blickte finster drein.

»Streng genommen – nein«, gab er zu. »Etwas weniger streng genommen – immer noch nein. Aber das weiß der Oger ja nicht. Wenn er Angst hat, redet er vielleicht.«

»Ich finde, Sie sollten nicht so gemein zu ihm sein«, sagte ich. »Es tut mir schon leid genug, dass ich ihn einmal k. o. geschlagen habe, geschweige denn zweimal. Er sieht schon alles doppelt.«

»Ich sehe es wie Jack«, erklärte Nancy. »Der Oger ist unser Gefangener, und er hat Rechte.«

»Was schlägst du also vor?«, fauchte Stoop. »Dass wir ihn freundlich bitten? Ihm für jede kleine Information ein Sandwich anbieten?«

Ich wünschte wirklich, Stoop würde nicht ständig vom Essen sprechen. Er erinnerte mich daran, dass ich den ganzen Tag noch nichts gegessen hatte, weil ich das Frühstück verpasst und Stoop mir keins von seinen Plätzchen angeboten hatte.

Mein Magen knurrte so laut wie hundert schnarchende Mammuts. Ich entschuldigte mich.

»Der Lärm kommt nicht aus deinem Bauch«, sagte Nancy. »Sonst müsstest du schleunigst zum Arzt. Das war etwas anderes.«

Nancy und ich flitzten nach draußen, um zu sehen, woher der Lärm kam.

In der Ferne entdeckten wir eine lange, gewundene Schlange aus Ogern, die von der Höhle oben den Hügel hinunter über eine Wiese in den nahe gelegenen Wald marschierten.

Das war das Grollen, das ich gehört hatte.

Es kamen immer mehr Oger dazu, aus allen Richtungen, zu Fuß, auf Springstöcken oder Motorrädern.

Während wir zum Waldrand starrten, fuhr dort ein riesiger Bus vor, und weitere Oger purzelten heraus. Manche hatten Picknickkörbe dabei, als machten sie einen Ausflug. Drei Oger fielen mit Fallschirmen vom Himmel.

Ich hatte mehr Übung im Zählen als Humbert, aber selbst ich verlor schon bald den Überblick. Jeder Oger im ganzen Land schien hierherkommen zu wollen.

»Die AGV muss gleich losgehen«, sagte ich, als die letzten Oger zwischen den Bäumen verschwunden waren. »Wir müssen hinterher und rausfinden, was sie vorhaben.«

»Wir können nicht einfach in eine Monstermenge reinspazieren«, wandte Nancy ein. »Wir würden auffallen wie bunte Hunde.«

»Wir schon. Aber unser Oger nicht«, sagte ich.

Wir beschlossen, wieder reinzugehen und den Oger irgendwie zu überreden, uns in die AGV zu schleusen.

Drinnen erwarteten uns zwei Überraschungen. Die erste Überraschung war, dass der Oger schon wieder bewusstlos war. Die zweite Überraschung war, dass Stoop nicht mehr Stoop war.

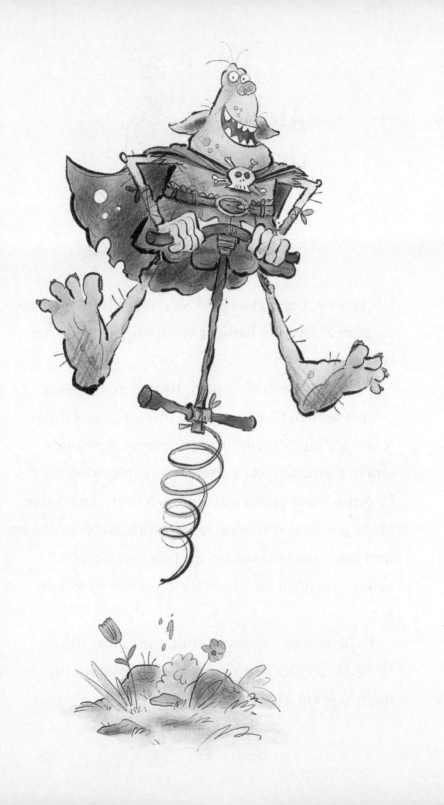

Siehe unter B

Ich kannte Stoop zwar erst seit dem Morgen, aber zu dem Zeitpunkt hatte er eindeutig zwei Ohren besessen.

Jetzt hatte er drei ... nein, fünf ... nein, neun!

Aus seinem Kopf sprossen immer neue Ohren wie Pilze aus feuchter Erde. Sie erschienen mit einem Geräusch wie in der Pfanne ploppendes Popcorn. Außerdem saß dort, wo eben noch seine Nase gewesen war, eine fette orangefarbene Warze, und sein Bart war wilder und dichter als eine Wiese, die noch nie einen Rasenmäher gesehen hat.

Er hatte sich so ausgedehnt, und zwar in alle Richtungen gleichzeitig, dass er überhaupt nicht mehr wie ein Monsterjäger aussah.

Er sah aus wie … **ein Oger**.

Noch erstaunlicher war, dass er selbst es gar nicht bemerkt zu haben schien, denn er wollte wissen, warum wir so große Augen machten.

»Stoop, ich muss Ihnen etwas zeigen.«

Ich nahm meinen Helm ab, damit er sein Spiegelbild in dem glänzenden Metall betrachten konnte.

Entsetzt starrte er mich an.

»Bin … ich das?«

»Also, wir sind es jedenfalls nicht«, sagte Nancy.

»Was ist passiert?«

»Ich habe nicht die leiseste Ahnung«, antwortete Stoop. »Ich habe nur hier gewartet und einen kleinen Schluck von diesem köstlichen Gebräu genommen, und dann …«

Stoop verstummte.

Er blickte nach unten.

In seiner Hand war die Flasche, die ich dem Oger über die Rübe gezogen hatte.

Stoops Stimme wurde laut vor Aufregung.

»Ist das möglich?«, sagte er und hielt die Flasche ins Licht, um das Etikett zu studieren.

Darauf waren ein Totenkopf mit gekreuzten Knochen und die Buchstaben BB abgebildet.

»Berserker-Bräu!«, juchzte er. »Das Zeug wollte ich schon immer mal probieren. Es gab Gerüchte, dass im Keller des Monsterjägerhauptquartiers ein Kasten voll stünde, aber das war nur Malzbier.«

»Was in drei Teufels Namen ist Berserker-Bräu?«, fragte ich.

»Lies doch nach. Dann weißt du es!«

Ich schlug *Monsterjagen für Anfänger* auf und blätterte zu **B**.

»Bigfoot ... Berggeist ...«, murmelte ich und blätterte schnell weiter. »Bergmönch ... Blaukäppchen ... Butzemann ... nein, halt, jetzt bin ich zu weit.« Ich blätterte zurück. »Hier!«

Berserker-Bräu

Ein ursprünglich von Ogern erfundenes Getränk, das
die Wikinger gestohlen haben, um sich vor ihren
Schlachten Mut anzutrinken. Oger verabreichen es
ihren Babys, damit sie besonders stark und abscheu-
lich werden.

Warnung: Bei jedem, der nicht zu mindestens
37 Prozent Monster ist, hat Beserker-Bräu starke Nebenwirkungen, darunter unerwünschte Flatulenzen,*
Grünfärbung der Zunge und vorübergehende Verwandlung in Ogergestalt. Es sind mindestens drei
Fälle überliefert, in denen sich die Verwandlung als
unumkehrbar herausstellte.

»Das hat uns gerade noch gefehlt!«, sagte ich verzweifelt.

»Ja, Jack, das hat es wirklich«, erwiderte Nancy.
»Genau das hat uns gefehlt! Es könnte die Lösung
all unserer Probleme sein.«

Was wollte Nancy nur damit sagen?

---

* So nennen Leute, die nicht »rülpsen« und »pupsen« sagen wollen,
rülpsen und pupsen.

Etwas Größeres

»Überleg doch mal«, sagte Nancy. »Wir müssen an dem geheimen Ogertreffen teilnehmen, richtig?«

»Richtig.«

»Und wir sind uns einig, dass das ohne die Hilfe eines Ogers unmöglich ist, richtig?«

»Richtig.«

»Und was ist das Gegenteil von falsch?«

»Schon wieder richtig«, sagte ich.

»Exakt!«, erwiderte Nancy. »Also warum sollen wir nicht selbst Oger werden?«

»Genial!«, rief Stoop. »Aber habt ihr keine Angst vor den Nebenwirkungen? Glaubt mir, unerwünschte Flatulenzen sind nicht zum Lachen, wenn sie außer Kontrolle geraten.«

Darauf lieferte er eins der lautesten – und übelriechendsten – Beispiele »unerwünschter Flatulenzen«, die ich je das Pech hatte, zu erleben.

»Das Risiko müssen wir eingehen«, sagte ich und nahm ihm das Berserker-Bräu aus der Hand, bevor es weitere Lärm- und Gestanksexplosionen in seiner Hose bewirkte.

Ich dachte, ich müsste umkippen, als ich den Korken herauszog und am Inhalt der Flasche schnupperte. Der Geruch erinnerte mich an Ogerfüße und gehörte damit nicht zu den Top Ten meiner Lieblingsdüfte. Nicht mal zu den Top Tausend.*

Das hier war etwas anderes, als mit einem Katapult zu schießen. Was, wenn das Berserker-Bräu bei mir nicht wirkte? Was, wenn es bei mir *zu gut* wirkte und ich mich nie wieder zurückverwandelte?

Ich wollte nicht für immer ein Oger sein, auch wenn sie unter Schutz standen.

Aber ein Monsterjäger muss nun mal alles tun, um seine Mission zu erfüllen.

---

* *Sogar der Geruch von nassem Hund kommt vorher, nämlich unter* Nr. 846.

»Also los«, sagte ich.

Ich rieb die Flaschenöffnung mit dem Ärmel ab, um die Ogerspucke wegzuwischen, setzte die Flasche an den Mund und trank vorsichtig einen Schluck.

Es war nicht so schlimm, wie ich erwartet hatte. Da ich eine Mischung aus Ohrenschmalz, Juckpulver und Tante Brunhildas Regenwurmstrudel mit Curry erwartet hatte, war das auch nicht schwer.

Ich trank einen zweiten Schluck.

Ich spürte die Flüssigkeit meinen Hals hinunter- und in meinen Bauch rinnen. Sie war so heiß, dass es sich anfühlte, als könnte ich Feuer rülpsen, wenn ich es versuchte, aber ich versuchte es nicht. Feuer rülpsen ist ziemlich unhöflich.

Irgendetwas passierte jedenfalls.

Ich hob die Hände. Meine Finger wurden fett wie Würstchen. Meine Haut wurde rissiger als alte Baumrinde.

Ich schaute an mir hinab und sah meinen Körper immer runder werden, wie ein Ballon, der sich mit Luft füllt.

Ein sehr hässlicher Ballon.

Mit Brille.

Und … Hörnern?

Ich betastete vorsichtig meinen Kopf.

Jep, ich hatte Hörner.

Drei Stück.

»Wie sehe ich aus?«, fragte ich, als ich fertig war.

»Extrem abstoßend!«, sagte Stoop. Es sollte ein Kompliment sein.

»Jetzt bin ich dran!«, rief Nancy.

»Bist du sicher?«, fragte ich. »Es gibt eigentlich keinen Grund, warum wir beide riskieren sollten, für immer in einem Ogerkörper festzustecken.«

»Du glaubst doch wohl nicht, dass ich dich das Risiko allein eingehen lasse?«, erwiderte sie. »Da wäre ich ja eine schöne Freundin!«

Man konnte Nancy einfach nicht aufhalten, wenn sie sich einmal etwas in den Kopf gesetzt hatte.

Sie schnappte sich die Flasche Berserker-Bräu und trank ohne zu zögern.

Bei ihr dauerte es länger, bis die Wirkung einsetzte. Sie war größer als ich, und das hieß, dass die Flüssigkeit einen längeren Weg zurücklegen musste, um jeden Winkel ihres Körpers zu erreichen.

Aber als es so weit war ...

»Sieh sie dir an!«, rief Stoop.

Nancy wuchs so erschreckend schnell, dass sie nicht mehr durch den Tunnel passen würde, wenn sie nicht gleich wieder damit aufhörte. Ich musste mehrere Ogerschritte zurückweichen, um ihr Platz zu machen.

Ihre Brille konnte sich kaum auf ihrer immer dicker werdenden Nase halten.

Anders als Stoop hatte Nancy weiterhin nur zwei Ohren, aber die waren so gigantisch, dass sie zwei ausgewachsene Schafe als Ohrenschützer gebraucht hätte.

Wir waren bereit.

Stoop erklärte sich widerstrebend einverstanden, in der Höhle zu bleiben und auf den Oger aufzupassen, falls der noch einmal zu sich kam und etwa versuchte, seine Mitmonster vor uns zu warnen.

Das Berserker-Bräu hatte auch Stoop größer

gemacht, aber er war längst nicht so ogergroß
wie wir.

Deshalb wollte er unbedingt einen letzten
Schluck. Ich warf Nancy die Flasche zu, damit er
sie sich nicht schnappen konnte. Wir würden jeden
Tropfen brauchen, um unsere Gestalt beizube-
halten.

In den Wald

Es war nicht weiter schwer, den Ort des geheimen Ogertreffens zu finden. Monster können nirgendwohin gehen, ohne ein gewaltiges Chaos zu hinterlassen. Wir mussten einfach nur dem **Pfad der Zerstörung** folgen.

Nancy und ich achteten darauf, regelmäßig einen Schluck aus der Flasche zu nehmen, damit unsere Verwandlung nicht zu schnell verflog – aber für den ganzen Tag würde der Trank nicht reichen.

Wie lange dauerten Ogerversammlungen? Schulversammlungen dauerten ewig. Selbst wenn dieses Treffen nur halb so lang dauern würde, war die Hälfte von ewig immer noch lang genug, um plattgemacht zu werden.*

* *Und gefressen.*

Wir hielten uns bei Laune, indem wir abwechselnd rülpsten, um mit dem Geruch des Berserker-Bräus unseren Geruch nach frischem Menschenfleisch zu überdecken.

Ich begann, das Alphabet zu rülpsen. Nancy rülpste die Zahlen von neunundneunzig bis eins. Anschließend rülpsten wir gemeinsam die Nationalhymne.

Dank des Berserker-Bräus waren unsere Rülpser besonders laut und kräftig. Da sieht man, dass nicht alle Flatulenzen unerwünscht sind!

Schon bald hörten wir die Oger. Es war der zweitschlimmste Lärm, den ich je gehört habe.*

Ich holte tief Luft und machte mich bereit, die letzten hundert Schritte in den **quasi sicheren Untergang** zu gehen, bis mir einfiel, dass Oger nicht gehen. Sie schlurfen. Sie trotten. Sie stampfen.

Wir schlurften und trotteten und stampften also, so gut wir konnten. Nancy baute noch ein kleines Hinken ein. Wir hatten beide genügend Oger gesehen, um zu wissen, wie sie sich bewegten.

---

* *Der schlimmste Lärm war das Konzert der Blockflötengruppe in meiner Schule.*

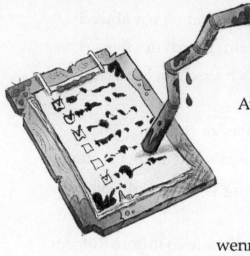

Dann versperrte uns ein unbekannter Oger den Weg. Seine Aufgabe war es offenbar, die Namen der Gäste auf einem Klemm-brett abzuhaken, was nicht ganz leicht ist, wenn man nicht lesen und schreiben kann und anstelle eines Stifts eine Eisenstange hat. Nancy reichte mir die Flasche, und ich nahm einen schnellen Schluck Berserker-Bräu, damit meine Monsterhände aufhörten zu zittern.

Plötzlich wuchs mir noch ein Horn auf dem Kopf, aber der Oger bemerkte es nicht, oder es war so normal für ihn, dass es nicht der Rede wert war.

Der Oger musterte mich von Kopf bis Fuß.

»Ich glaube, dich habe ich noch nicht gesehen«, sagte er. »Wie heißt du?«

»Nog«, grunzte ich, weil das wie ein Ogername klang. »Und du?«

»Gülle«, sagte der Oger und kritzelte eifrig mit

seiner Eisenstange auf sein Klemmbrett. »Aber das geht dich gar nichts an.«

»Und warum hast du es mir dann gesagt?«

Gülle war so verwirrt von großen Worten wie »dir« und »mir«, dass ihm keine Antwort einfiel, nicht mal, nachdem er sich ein paarmal mit der Eisenstange gegen die Stirn gehauen hatte.

Stattdessen wandte er sich an Nancy.

»Und du?«, fragte er.

»Ich gehöre zu Bog«, sagte sie.

Ich stieß sie an.

»Habe ich Bog gesagt?«, verbesserte sie sich. »Ich meinte Log ... äh, Jog ... nein, Nog. Ich bin Bog.«

»Wie schreibt man das?«

»B wie Bestie. O wie obscheulich. G wie gruselig. Guck, da bin ich doch auf der Liste.«

Sie pikste mit ihrem Stummelfinger auf das Klemmbrett.

Gülle war zufrieden. Er winkte Nancy und mich ... oder Nog und Bog, wie wir jetzt hießen ... ohne weitere Umstände durch.

Ich konnte unser Glück kaum fassen – wenn man

es denn Glück nennen wollte, mitten in eine Monstermenge zu gelangen, die an Menschen so ziemlich alles hasste bis auf ihren Geschmack.

Jetzt gab es kein Zurück mehr.

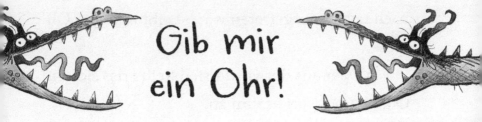

Gib mir ein Ohr!

Erst als wir auf die Lichtung traten, begriffen Nancy und ich, wie gefährlich es war, dass wir allein gekommen waren.

Es wimmelte nur so von Ogern.

Vom Gestank all dieser muffeligen Körperteile wäre ich fast in Ohnmacht gefallen.

Manche von ihnen kannte ich, weil sie vorhin in der Höhle geschlafen hatten. Und manche kannte ich aus meinen Albträumen.

Nancy und ich quetschten uns in die hinterste Reihe und hofften, dass niemand auf uns aufmerksam wurde.

Endlich würden wir erfahren, warum die Oger aus allen Teilen des Landes hierher geschlurft und getrottet und gestampft waren.

Boffin ergriff das Wort.

»Liebe Freunde, Oger und Mitmonster«, sagte er, nachdem er vorgetreten war. »Leiht mir eure Ohren!«

Ein Oger aus der vordersten Reihe riss sich ein Ohr ab und warf es ihm zu.

»So war das nicht gemeint«, sagte Boffin. »Aber danke trotzdem, ich hebe es fürs Abendessen auf.«

Er steckte sich das Ohr vorne ins Hemd, damit es schön muffelig blieb.

»Zuallererst«, begann er, »möchte ich alle willkommen heißen, die heute zu unserer **Abscheulichen General-Versammlung** gekommen sind. Ich sehe viele alte Freunde in der Menge. Da sind Klotz und Drückeberger, Muffel und Knarz, Großkotz und Spitzel. Und nicht zu vergessen Norbert, dessen Eltern ihn so sehr hassten, dass sie ihm nicht mal einen anständigen Ogernamen gegeben haben.«

Die Oger johlten, als sie ihre Namen hörten. Bis auf Norbert, der vermutlich nicht so gern daran erinnert wurde, dass sein Name etwa so furchterregend war wie eine Geisterbahn ohne Geister.

»Ich möchte auch all jenen danken«, fuhr Boffin fort, »die heute nicht bei uns sein können. So wie Schorf, der zu blöd war, um den Weg zu finden, und in diesem Moment in einem U-Bahn-Tunnel in London hockt und sich fragt, wo ihr alle seid.« Die Oger jubelten über diese bewundernswerte Blödheit, die weit über die normale Pflichtübung hinausging.

»Ihr fragt euch sicherlich, warum ihr heute alle hierherkommen solltet«, fuhr Boffin fort, und der Applaus ebbte ab.

»Nein!«, riefen die Oger verdutzt.

»Ich würde es euch wirklich gerne sagen, wenn ich es wüsste. Leider weiß ich es nicht. Ich kenne aber jemanden, der es weiß. Also hebt die Hände – am besten alle vier, wenn ihr so viele habt – und klatscht so laut ihr könnt für die fantastische, einzigartige, durch und durch abstoßende ... Tante Brunhilda!«

Frittierte
Kniescheiben

Es konnte nicht wahr sein ... und war es doch.

Ich riss entgeistert den Mund auf, als eine wohl-bekannte Person mit Pilotenbrille und schwarzen Nagelstiefeln zwischen den Bäumen hervortrat.

»Das ist sie!«, zischte ich Nancy zu.

Tante Brunhilda drehte sich hastig in unsere Richtung, als spürte sie meine Gegenwart.

Für eine Millisekunde begegneten sich unsere Blicke.

Ich hielt den Atem an, vor Angst, dass sie mich auch in meiner Ogergestalt erkennen würde, doch dann schüttelte sie sich wie ein nasser Hund und wandte sich der Versammlung zu.

Die Oger hatten keine Ahnung, wer Tante Brun-

hilda war, aber sie jubelten trotzdem laut, bis sie
die Hand hob und um Ruhe bat.*

»Liebe Freunde, liebe Oger …«

Weiter kam sie nicht, bevor derselbe Oger wie
eben sich noch ein Ohr abriss und es in ihre Richtung warf. Was unvorteilhaft für ihn war, weil er
nun gar nichts mehr hören konnte, aber vorteilhaft
für Boffin, der nun zwei Ohren fürs Abendbrot
hatte.

»Ich weiß, dass ich nicht wie ein Monster aussehe«, sagte Tante Brunhilda, »aber glaubt mir, ich
bin genau so garstig und abstoßend wie ihr.« (Kein
Witz!) »Meine Mutter war eine Ogerin, und mein
Vater war ein Buchhalter namens Simon. Von ihm
habe ich meine Vorliebe für Mathematik.«

»Verrückt«, murmelten Nancy und ich gleichzeitig.

»Und von ihr habe ich die Vorliebe für frittierte
Kniescheiben und den Hass auf die Menschen.«

---

* *Das war schon immer eine ihrer Lieblingsbeschäftigungen gewesen.*
  Das und einen nassen Spüllappen über meinem Gesicht auszuwringen,
  wenn ich schlief, weil der Gedanke sie rasend machte, ich könnte etwas
  Schönes träumen.

»Buh!«, schrie ich. Ich wollte zum Ausdruck bringen, dass ich Menschen ebenso sehr hasste wie die anderen Oger.

Wieder brachte ihr Blick mich zum Schweigen, und ich fragte mich nervös, ob sie mich nicht etwas länger anstarrte als die anderen und sich vielleicht fragte, warum ein Oger eine so aberwitzig kleine Brille trug.

»Als ich ein kleines Mädchen war«, fuhr Tante Brunhilda fort und schob ihre wie auch immer gearteten Zweifel an meiner wahren Identität beiseite, »erzählte meine Mutter mir jeden Abend Gutenachtgeschichten aus der **guten alten Zeit**, als die Oger noch über das Land herrschten.* Wir Oger taten, was wir wollten, wann wir wollten, mit wem wir wollten, und wenn irgendjemand sich beschwerte, dann bekam er unverzüglich einen guten Blick auf unsere Incisivi und Canini.** Allein der Ogerkönig hat angeblich hundert Kinder schon

---

* *Das war nicht gelogen. Ein Mann namens Geoffrey von Monmouth hat das vor fast tausend Jahren in einem Buch beschrieben:* Die Geschichte der Könige von England.
** *Das sind hochtrabende Namen für die Schneide- und Eckzähne.*

VOR dem Frühstück verputzt, und zwar, wenn er KEINEN Hunger hatte. WENN er Hunger hatte, verspeiste er eine ganze Schule.«

Jetzt hingen alle an Tante Brunhildas Lippen. Die Historie war ihnen egal, aber nichts bewunderten sie mehr als einen Oger, der sich einen regelmäßigen Vorrat an Frischfleisch beschaffte.

»Der Ogerkönig war das mächtigste Monster, das dieses Land je gesehen hat«, fuhr Tante Brunhilda fort, und ihre Augen glänzten wie Aal in Gelee, während sie sich in Rage redete. »Und er wäre auch heute noch an der Macht, wenn nicht die Menschen gewesen wären. Sie hatten irgendwann keine Lust mehr, als Häppchen zu enden, und gründeten eine Monsterjäger-Armee, um den König zu besiegen.«

Die Oger brüllten wütend. Ich konnte sehen, dass sie diese Geschichte noch nie gehört hatten.

»Die Schlacht dauerte Tage. Der Ogerkönig verputzte Hunderte Feinde … er verschlang Tausende … und knabberte noch drei weitere an … doch dann kam es zur Katastrophe: Der letzte Monsterjäger, den er verschlang, musste das Haltbarkeitsdatum überschritten haben. Der Ogerkönig war vergiftet. Er sank leblos zu Boden, und seine Ogerarmee verlor den Mut. Sie zog sich in die Wildnis zurück, wo die Oger noch heute leben. Die Menschen hatten gesiegt.«

Die Oger krakeelten.

Einige brachen in Tränen aus.

»Verzweifelt nicht, meine lieben Schauerlichkeiten!«, tröstete Tante Brunhilda sie. »Ich habe herausgefunden, dass der Ogerkönig gar nicht wirklich tot ist. Er hat nur unter der Erde geschlafen, bis zu dem glorreichen Tag, an dem er aufwachen und sich sein rechtmäßiges Reich zurückholen würde. Keine Menschen mehr! Keine Monsterjäger!«

»Was sollen wir denn essen, wenn es keine Menschen mehr gibt?«, maulte ein Oger in der Menge. Er wusste vielleicht nicht viel über alte Könige und Schlachten, aber er aß gern.

»Ruhe!«, schrie Tante Brunhilda. »Ich bin nicht mein Leben lang von Montag bis Freitag ein **öffentliches Ärgernis** gewesen und habe am Wochenende nach dem Ogerkönig gesucht, um mich jetzt von euch unterbrechen zu lassen, wo es endlich spannend wird.«

»Wird auch Zeit«, murrte ein vorwitziger Oger, bevor die anderen »Psst!« zischten.

Es war wohl sein Glückstag. Tante Brunhilda hatte ihn nicht gehört.

»Schaut nach unten«, kommandierte sie. »Schaut nach unten und sagt mir, was ihr seht!«

Was ist schon ein Name?

Ein Oger nach dem anderen brüllte, was er unter sich sah:

»Unsere Füße!«

»Gras!«

»Eine große Pipipfütze!«

Ein schneller Blick bestätigte letzteren Ausruf. Der Oger, der gesprochen hatte, planschte fröhlich darin herum.

Tante Brunhilda schüttelte jedes Mal den Kopf.

»Einmal dürft ihr noch raten«, sagte sie.

»Käfer?«

»Butterblumen?«

»Rindergulasch?«

»Das waren jetzt dreimal«, bemerkte der Oger,

der die Käfer vorgeschlagen hatte. »Sie hat gesagt, wir dürfen nur einmal.«

»Wir waren nicht sicher, ob sie meinte, insgesamt einmal oder jeder einmal«, gaben die anderen zurück. »Können wir die Regeln bitte präzisieren?«

»Wolken?«, schlug ein Oger vor, der Tante Brunhildas Aufforderung gänzlich missverstanden hatte und in den Himmel starrte.

Nancy brauchte keine weiteren Hinweise.

»Sie meint den Ogerkönig!«, raunte sie mir zu. »Verstehst du denn nicht? Daher muss die Stadt ihren Namen haben: Königsruh! Der Ogerkönig ruht unter unseren Füßen!«

Flüstern hin oder her, Tante Brunhilda hörte sie.

»Du hast es erraten!«, rief sie. »Komm nach der Show in den VIP-Bereich, um dir deinen Preis abzuholen! Ich hatte schon länger vermutet, dass er hier irgendwo begraben sein müsste – wegen des Namens. Dann habe ich eines Tages eine wichtige Entdeckung gemacht. Ich wusste zwar nicht GENAU, wo der Ogerkönig liegt – aber ich hörte von jemandem, der es wusste. Ich musste nur die Information stehlen. Als ich mir sicher war, dass

mein **niederträchtiger Plan** funktionieren
würde, habe ich alle Oger, deren Namen ich im Te-
lefonbuch finden konnte, hierher eingeladen, um
gemeinsam den Moment zu erleben, an dem der
Ogerkönig sein Reich zurückerobert. Der Moment
ist gekommen! Liebe Freunde, Oger, Mitmonster« –
Boffin wartete hoffnungsvoll auf ein drittes Ohr,
es kam aber keins geflogen – »tretet zurück, und
wir werden ohne weitere Umstände oder überhaupt irgendwelche Umstände, den Ogerkönig
erwecken!«

Raus aus den Federn!

Die Oger wichen folgsam zurück, bis die Lichtung leer war abgesehen von einer teuflischen Tante mit Pilotenbrille und schwarzen Nagelstiefeln. Es wurde still. Nicht mal der Wind wagte es, Tante Brunhilda zu stören.

Ich dachte, sie würde nun irgendeinen Zaubertrick anwenden, um den Ogerkönig zu wecken.

Aber sie griff nur in ihre Jackentasche und holte einen silberglänzenden Wecker heraus.

Und nicht irgendeinen silberglänzenden Wecker.

Sondern MEINEN silberglänzenden Wecker.

Sie musste ihn in Vorbereitung auf diesen großen Moment aus meinem Zimmer gestohlen haben.*

* *Kein Wunder, dass ich an diesem Morgen verschlafen hatte!*

Tante Brunhilda zog den Wecker auf und stellte ihn auf den Boden.

Die Oger warteten gespannt.

Dann zuckten alle zusammen, als der Alarm losging.

RIIIIING!

»Das funktioniert nie!«, raunte ich Nancy zu. Wecker sind laut, wenn sie morgens losscheppern und es kalt und dunkel ist und man wirklich nicht aus dem Bett will. Aber ganz sicher würde sein Rasseln doch kein Monster wie den Ogerkönig aus seinem tausendjährigen Schlaf reißen?

Ich lag falsch. Tante Brunhilda hatte ihre Hausaufgaben gemacht. Sie wusste, das Ogerohren sehr groß sind, sodass jedes Geräusch verstärkt wird wie bei einem Megafon. Der Wecker musste sich nur an genau der richtigen Stelle befinden, um das Ogerohr zu erreichen.

Das Gras begann zu beben.

Genau wie ich.

Schon zitterte die ganze Lichtung wie Wackelpudding auf einem Trampolin. Irgendetwas passierte. Direkt vor meinen Augen kam eine riesige Hand aus dem Boden.

Eine zweite Hand folgte.

Als Nächstes die Knie.

Erde flog durch die Luft, als der Oger seine riesenhaften Hände auf den Boden drückte und sich hochstemmte. Er schüttelte seinen großen knubbeligen Kopf und blinzelte im hellen Licht.

Dann erhob er sich auf die Füße.

Er war mehr als dreimal so groß wie der größte Oger, den ich je gesehen hatte, und mindestens siebenmal hässlicher, auch wenn ich noch wenige Minuten zuvor nicht geglaubt hätte, dass das möglich war.

Auf dem Kopf trug er eine riesige Metallkrone. Während seines langen Schlafs hatten sich im Inneren der Krone Erde und Gras gesammelt, sodass sie nun auf seinem Kopf saß wie ein Gartenzaun um einen Garten.

Das alles war viel schlimmer, als ich erwartet hatte. Eine Ogerarmee war ja schon schlimm genug. Aber eine Ogerarmee mit einem Ogerkönig, unterstützt von Tante Brunhilda?

Das war unvorstellbar fürchterlich.

Ich tastete nach Nancys Hand.

Nancy tastete nach meiner.

Es war tröstlich, wenigstens die letzte Sekunde gemeinsam zu verbringen, bevor der Ogerkönig genau da weitermachte, wo er vor Hunderten von Jahren aufgehört hatte.

Es tat mir nur leid, dass wir nicht noch ein bisschen länger Freunde sein konnten, bevor die Welt unterging.

»**Euer Gewaltigkeit!**«, sagte Tante Brunhilda, trat vor und verneigte sich. »Sagt uns, was wir tun sollen!«

Haferbrei?

Der Ogerkönig blickte auf Tante Brunhilda hinab.

»Waren Sie das, die mich geweckt hat?«, fragte er mit einer Stimme, die lauter dröhnte als drei Gewitter und ein Erdbeben zusammen.

»Ganz recht, **Euer Riesigkeit**«, erwiderte sie stolz.

»Ich wünschte, Sie hätten es gelassen«, sagte er, und seine Stimme wurde ein klein wenig leiser, als er den Mund aufriss und gähnte. »Ich habe gerade von einem herrlichen Apfelkuchen geträumt. Mit Zucker und Schlagsahne obendrauf. Ich liebe einen schönen Klecks Schlagsahne. Sie haben nicht zufällig welche dabei?«

Tante Brunhilda wirkte fast so verwirrt von der Schlagsahne wie der Oger namens Gülle von großen Worten. *Das* hatte sie offensichtlich nicht erwartet.

»Ich fürchte nein, **Euer Übermäßigkeit**, aber ich habe ganz in der Nähe einen Käfig voller Menschen unterschiedlichster Geschmacksrichtungen, wenn Ihr die probieren möchtet? Auf meinen Befehl hin hat Boffin sie schon seit ein paar Tagen gesammelt, damit Ihr nach dem Aufwachen zu Kräften kommt.«*

»Menschen?«, wiederholte der Ogerkönig schaudernd. »Ich soll *Menschen* essen? Ich esse keine Menschen. Das machen nur Trolle! Ich bin doch wohl kein Troll, oder? Verstehen Sie mich nicht falsch, ich will niemanden nach seinem Äußeren beurteilen, aber Trolle sind ziemlich hässliche Gesellen. Längst nicht so hübsch wie ich.«

»Bei allem Respekt, **Euer Kolossalität**, ich habe umfassende Nachforschungen angestellt, und in allen alten Geschichten steht, dass der Oger-

---

* *Ich hielt den Moment nicht für geeignet, Tante Brunhilda mitzuteilen, dass ich sie bereits befreit hatte.*

könig bei einer Mahlzeit mehr Menschen verputzt hat, als die meisten Oger in einer Woche.«

»Sie dürfen doch nicht alles glauben, was Sie in alten Geschichten lesen! Die sind alle ausgedacht. In erster Linie von mir«, sagte der Ogerkönig. »Ich wollte den Menschen nur Angst machen, damit sie mich in Ruhe ließen. Ich komme ganz bestimmt nicht auf die Idee, zum Frühstück Menschen zu essen. Ich bevorzuge Haferbrei.«

»Haferbrei?«, rief Tante Brunhilda entsetzt.

»Was haben Sie gegen Haferbrei?«

»Haferbrei ist ekelhaft, das habe ich dagegen!«, schrie Tante Brunhilda, und ausnahmsweise musste ich ihr recht geben. Haferbrei ist wirklich eine widerliche Pampe.

Der Ogerkönig runzelte die Stirn.

»Ihr habt doch wohl nicht alle Menschen gegessen, während ich geschlafen habe, oder?«, fragte er.

Tante Brunhilda blickte etwas verlegen drein.

»Nur ein paar«, gab sie zu. »Und eigentlich nur

an Weihnachten oder bei anderen besonderen Gelegenheiten.«

»Das war böse von euch«, sagte der Ogerkönig, und er klang wie einer dieser Lehrer, die darauf bestehen, dass sie nicht sauer sind, wenn man Ärger macht, sondern nur enttäuscht.

Die Oger begannen zu tuscheln. Der Ogerkönig sollte sie in die Schlacht führen und sein altes Königreich zurückerobern. Und nicht die Hand ausstrecken, damit sich ein Vögelchen darauf setzen konnte, wie er es gerade tat.

»Es reicht!«, brüllte Tante Brunhilda, die den wachsenden Unmut spürte. »Der Ogerkönig ist einfach noch nicht ganz bei sich, weil er so lange geschlafen hat. Er hat vergessen, was ein guter Oger ist, und mit ›guter Oger‹ meine ich einen sehr schlimmen Oger. Nehmt eure Keulen und Schläger und alles andere, was einen guten **RUMMS** macht, und folgt mir, eurer neuen Anführerin! Als Erstes gehen wir in die Stadt und machen die Leute zu Hackfleisch. Richtiges Hackfleisch, wie man es für Hackbraten braucht. Und dann nehmen wir uns den Rest des Landes vor. Bald wird England wieder uns gehören! Kann ich mich auf euch verlassen?«

»Nein!«, schrien die Oger, aber es spielte keine Rolle, dass sie nicht alles begriffen hatten. Die Gelegenheit zum Randalieren ließen sie sich nicht entgehen.

Sie stampften mit den Füßen und machten sich bereit, in die Schlacht zu ziehen.

Was sollten wir nur tun?

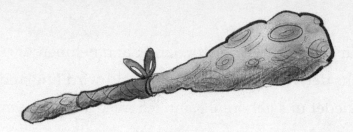

Uff!

Nancy und ich bemühten uns mitzumischen, während die Oger Bäume umknickten, um sich mit Knüppeln einzudecken. Aber wir waren nicht mit dem Herzen bei der Sache, und die Flasche mit dem Berserker-Bräu war leer. Die letzten Tropfen hatten wir hinuntergekippt, als Tante Brunhilda die Oger aufgewiegelt hatte. Ein Blick auf Nancy sagte mir, dass die Wirkung des Tranks bereits nachließ.

Ihre Ohren waren noch immer viel größer als vor ihrer Verwandlung, aber sie hätte jetzt nur noch Lämmer als Ohrenschützer gebraucht.

Mein eigener Körper, der noch vor Kurzem einem Ballon geähnelt hatte, ähnelte noch immer

einem Ballon, nur eben einem, der langsam zu-
sammenschrumpft.

»Wir müssen hier verschwinden«, sagte Nancy.

»Keine Angst«, erwiderte ich. »Ich habe vielleicht
eine Idee.«*

Ich hob die Hand und räusperte mich.

»Entschuldigung«, rief ich. »Wo ist denn hier das
Klo?«

Entsetztes Schweigen legte sich über die Lichtung.

Sogar der Ogerkönig sah aufgebracht aus.

Kein anständiger Oger würde jemals nach einer
Toilette fragen. Wenn er mal musste, dann machte
er sein Geschäft an Ort und Stelle, egal wo er war.

Im Bett. Auf dem Sofa. In einer wichtigen Versammlung. Der Oger, der vorhin in seiner Pipipfütze geplanscht hatte, hatte es vorgemacht. Sie
hätten sogar in die Badewanne gemacht, wenn sie
je gebadet hätten.

Tante Brunhilda starrte mich abgrundtief böse
an.

---

* *Ich will nicht vorgreifen, aber wenn jemand sagt, er habe »vielleicht«
eine Idee, sollte man sich keine allzu großen Hoffnungen machen.*

»**FI FEI FO FUM**, da hält mich einer wohl für dumm!«, rief sie und durchschaute mit einem Blick, was von meiner Verkleidung noch übrig war. »Das ist Jack, zusammen mit einem Mädchen, das ich noch nie gesehen habe, das aber mit Sicherheit genauso nervtötend ist wie er. Ich hätte es wissen müssen. Wer hat schon mal von einem Oger mit Brille gehört? Wer hat schon mal von ZWEI Ogern mit Brille gehört? Schnappt sie euch!«

Wir konnten nirgendwo hin. Wenn wir irgendwo hingekonnt hätten, wären wir dorthin gerannt.

Nancy und ich rappelten uns auf und machten uns auf den **letzten Kampf** gefasst, während die Oger auf uns zustürmten und endlich merkten, dass wir in Wahrheit gar keine Oger waren, sondern Mittagessen.

Wären wir normal groß gewesen, hätten wir ihnen vielleicht entkommen können, aber in unseren Adern flossen noch immer ein paar Tröpfchen Berserker-Bräu. Wir waren es nicht gewohnt, so klobig und tollpatschig zu sein.

Wir schafften gerade mal drei Schritte, bevor wir unter einem Haufen Oger begraben wurden.

Ich versuchte zu schreien: »Runter da!«

Doch heraus kam nur: »Rua!«

Ich versuchte es noch einmal mit »Rua!«, aber es waren noch mehr Oger auf dem Haufen gelandet und nahmen mir den Atem, sodass ich nicht mal mehr das sagen konnte.

»Aufhören!«, hörte ich den Ogerkönig flehen. »Ihr tut den kleinen Kerlchen noch weh.«

»Ich bin kein Kerlchen«, ertönte Nancys Stimme irgendwo aus dem Ogerhaufen. »Ich bin ein Mädchen!«

»Oh, Verzeihung. War nicht böse gemeint.«

»Hab's auch nicht böse verstanden«, sagte sie.

»Ich wollte nur Klarheit schaffen.«

Es hörte sowieso niemand auf den Ogerkönig. Eine andere Stimme übertönte den Tumult.

»Ruhig Blut, hier kommt Stoop!«

Durch ein Bündel Beine sah ich, wie der Monsterjäger, der nun wieder seine normale Größe hatte, mitten ins Getümmel sprang und mit seinem Schwert herumfuchtelte. Es schien ihn in diesem Moment kein Fünkchen zu interessieren, dass er den Monstern keinen Schaden zufügen durfte.

Er dachte nur daran, uns zu retten.

Und er war nicht allein.

Der Oger mit den zwei Beulen, eine hinten, eine vorne, schlurfte neben ihm in die Schlacht. Er schwang seinen Knüppel und nutzte ihn, um jedem Oger, der ihm im Weg stand, auf den Kopf zu hauen, bis die Köpfe so große Beulen hatten wie seiner.

Von allen unerwarteten Wendungen der Ereignisse war dies die unerwartetste und wendigste.

Warum war der Oger plötzlich auf unserer Seite?

War er gekommen, um zu Ende zu bringen, was er an diesem Morgen mit Tante Brunhilda begonnen hatte?

Und vor allem, warum war er nicht so groß, wie ich ihn in Erinnerung hatte, und wurde mit jedem Moment kleiner?

Denn daran gab es keinen Zweifel. Der Oger

schrumpfte so schnell, dass die anderen Oger ihn nun überragten.

Er konnte ihnen nicht mehr auf die Köpfe hauen, er musste sich damit begnügen, ihnen die Kniescheiben zu zertrümmern. Was er, das muss ich fairerweise sagen, mit **ungebremstem Eifer** tat.

Je kleiner er wurde, desto weniger ogerhaft sah er aus. Seine gelben Stoßzähne schmolzen dahin wie Eiswürfel in der Sonne. Sein Gesicht verlor alles Schimmelige und enthüllte weniger abschreckende – und sehr viel vertrautere – Gesichtszüge.

»DAD!«, schrie ich, denn kein anderer war es.*

---

* *Es wäre auch sehr komisch gewesen, »Dad« zu schreien, wenn er es nicht gewesen wäre.*

Wir werden
verschnürt

Die Fragen brausten mir nur so durch den Kopf
wie Hornissen auf Motorrädern.

Warum war Dad ein Oger? Er hatte doch gar
nicht die Angewohnheit, sich in ein Monster zu
verwandeln.

Das hätte ich gemerkt.

Wo war er die ganze Zeit gewesen?

Und vor allem, würde ich je herausfinden, was
passiert war, bevor die Oger taten, was Oger am
besten tun,* und mein Abenteuer zu einem unschö-
nen und schmatzenden Ende brachten?

Stoop und Oger-Dad – vielleicht auch Dad-Oger,
ich war mir nicht sicher, wie ich ihn nennen sollte –

* *Oder sollte es »am schlimmsten« heißen?*

scheuten keine Mühen, sich einen Weg durchs Gewimmel zu knüppeln, um zu uns zu gelangen.
Aber gegen die vielen Gegner reichten ihre Kräfte nicht aus.

Sie wurden schnell überwältigt.

»Essen wir sie jetzt?«

»Ich will ein Bein!«

»Du willst immer ein Bein!«

»Ich will einen Flügel!«

»Die haben keine Flügel.«

»Wer hat die ganzen Flügel gegessen?«

»Ich will einfach nur Schlagsahne«, seufzte der Ogerkönig.

»Könntet Ihr mal aufhören, von Schlagsahne zu schwätzen, Euer **Gigantische Dumpfbackigkeit**!«, brüllte Tante Brunhilda. »*Ich* habe hier das Sagen! Und ich sage, dass niemand jemanden frisst, bevor wir Königsruh plattgemacht haben. Die vier hier gibt's zum Nachtisch, wenn wir die anderen verputzt haben, und dagegen kannst du nicht das winzigste binzigste Fitzelchen tun, Jack!«

Sie schloss ihre Rede mit einem verrückten Freudentanz und kniff mir obendrein in die Nase, weil sie wirklich eine überaus grauenhafte Person war.

»Damit wirst du nicht durchkommen!«, schrie ich, während sich Ogerfinger in meinen Kragen hakten und mich in die Luft hoben. Ich weiß selbst nicht, warum ich das schrie, denn die Chancen standen ziemlich gut, dass sie sehr wohl damit durchkommen würde.

Ich fühlte, wie ich stramm mit einem Seil umwickelt wurde, als wäre ich ein Finger mit Schnittwunde und das Seil ein Verband. Dann landete ich unsanft auf dem Boden.

Da lag ich und **zappelte** wild, um freizukommen, aber dadurch zog sich das Seil nur noch fester zusammen.*

Im nächsten Moment wurde Nancy neben mir eingewickelt und am Schluss Dad. Wir waren alle auf dieselbe Art verschnürt.

Immerhin war es eine Erleichterung, zu sehen, dass alle, die mir am Herzen lagen, wieder Men-

* *Eins muss man Ogern lassen: Knoten binden können sie.*

schenform und -größe hatten,* aber die Erleichterung währte nicht lange.

Wir konnten nur hilflos mitansehen, wie die Oger den Hügel hinunter nach Königsruh stürmten. Tante Brunhilda stürmte vorneweg und blies dabei misstönend in das silberne Horn, das sie aus unserem Haus gestohlen hatte, und der Ogerkönig trottete trübsinnig hinterher.

Nur Boffin wurde zurückgelassen, um auf uns aufzupassen, und er wirkte fast so enttäuscht wie wir, wenn auch aus anderen Gründen.**

Ich drückte die Daumen, dass die Stadtbewohner auf Humbert gehört und alle notwendigen Vorkehrungen getroffen hatten, um Königsruh zu verteidigen. Sonst wären sie ein für allemal erledigt.

---

* *Für Menschen ganz klar die beste Form und Größe.*
** *Man bekommt schließlich nicht jeden Tag die Chance, ein ganzes Städtchen zu verputzen.*

Ich gegen Dad

»Wir sitzen gründlich in der Patsche, Jack«, sagte Dad kopfschüttelnd, als die letzten Töne des Horns verklangen. »Habe ich dir nicht immer gesagt, dass die Welt ein **gefährlicher Ort** ist? Jetzt wünschst du dir, du hättest auf mich gehört und wärst zu Hause in Sicherheit geblieben, was? Statt blindlings ins Unheil zu stolpern.«

Ich traute meinen Ohren nicht.

Ich war so glücklich gewesen, Dad zu sehen, wollte ihm alles erzählen, was ich erlebt hatte, seit ich Monsterjäger geworden war. Er sollte stolz darauf sein, wie tapfer ich mich seit seinem Verschwinden geschlagen hatte.

Er sollte sagen: »Gut gemacht, Jack – und selbstverständlich darfst du eine Schnecke als Haustier halten, auch wenn Schnecken wirklich eine Menge Zähne haben,* meine Sorge, dass sie dich beißen könnte, war also nicht unbegründet.«

Stattdessen behandelte er mich IMMER NOCH so, als könnte er mich keine Sekunde aus den Augen lassen.

»Wer sagt denn, dass ich in Sicherheit sein will?«, brüllte ich.

Jetzt war es Dad, der seinen Ohren nicht traute.

»Willst du damit sagen, dass es dir gefällt, nicht zu wissen, ob du bis zum Abendessen überlebst, ohne selbst der Hauptgang zu werden?«, fragte er verblüfft.

»Ich behaupte nicht, dass es nicht gruselig ist«, sagte ich. »Aber es ist auch aufregend. Du kannst nicht von mir verlangen, dass ich jetzt aufgebe. Unser altes Leben war so langweilig, Dad. Wir hatten nie Spaß!«**

Ich wartete darauf, dass Dad mir widersprach, aber er machte nur ein trauriges Gesicht.

---

* Durchschnittlich zwischen 10 000 und 12 000, wenn ihr es genau wissen wollt.
** Das stimmte nicht, aber wenn man wütend ist, sagt man Dinge, die man nicht so meint.

Das Gesicht kannte ich gut. Ich hatte es schon viele Male gesehen. Er machte es immer, wenn er an Mum dachte, und ich bekam ein schlechtes Gewissen, dass ich ihn angebrüllt hatte, nachdem er ohne zu zögern in eine ganze Horde Oger gestiefelt war, um mich zu retten.

Aber er musste auch mich verstehen. Ich war nicht mehr derselbe Jack wie letzte Woche.

Und schließlich stand es ja sogar im Buch, gleich auf der ersten Seite von *Monsterjagen für Anfänger*:

> Dein Job ist es, die Lage zu retten, wenn Monster sich danebenbenehmen.

Ich wusste nicht, ob »die Lage retten« in unserer verwickelten Situation ein zu hoher Anspruch war. Ich wusste nur, dass, wenn **Das Leben, wie wir es kannten** kurz vor seinem Ende war, ich noch herausfinden wollte, was dies alles eigentlich zu bedeuten hatte. Und dafür brauchte ich Fakten.

Es war an der Zeit, Dads Version der Geschichte zu hören.

Dads Version

Es war eine lange Geschichte, und sie wurde noch länger, weil Nancy und ich Dad die ganze Zeit unterbrachen, um etwas einzuwerfen oder zu fragen.*

Ich hätte sie genauso aufschreiben können, wie sie erzählt wurde, mit all unseren Bemerkungen und Fragen. Aber wenn ich das täte, würden wir den ganzen Tag hier sitzen. Deshalb fasse ich lieber die wichtigsten Punkte zusammen, damit wir schneller zum »Monsterangriff auf Königsruh« kommen.

Im Großen und Ganzen war Folgendes passiert: Wie ich vermutet hatte, war Tante Brunhilda gar nicht wirklich meine Tante. Dad hatte von ihrer Existenz nichts gewusst, bis sie ihn vor einigen

---

* *Stoop fragte nicht. Er hatte die Geschichte bereits auf dem Weg in den Wald gehört.*

Wochen angerufen hatte, weil sie die Karte von der letzten Ruhestätte des Ogerkönigs kaufen wollte, die auf unserem Dachboden lag.

Dad hatte keine Ahnung, wie sie von dieser Karte erfahren hatte, aber er erklärte ihr höflich (weil er gute Manieren besaß), dass sie nicht zum Verkauf stand.

Daraufhin hatte Tante Brunhilda Rache geschworen und wütend den Hörer aufgeknallt (weil sie überhaupt keine Manieren besaß).

Das war das Letzte, was er von ihr gehört hatte, bis sie eines Tages in einem Lieferwagen neben ihm hielt und ihn nach dem Weg zur nächsten Metzgerei fragte. Dad erklärte ihr den Weg zu Schweinskopf-Schulze in der Hauptstraße, als sie aus dem Wagen sprang, ihm einen Sack über den Kopf stülpte und ihn hinten in den Lieferwagen stieß. Dann gurkte sie stundenlang mit ihm durch die Gegend bis zu einem heruntergekommenen Haus mitten im Nirgendwo* und sperrte ihn ein.

Viele Tage blieb er dort mit nichts zu essen außer

---

* *Vielleicht auch etwas nördlicher als mitten im Nirgendwo. Im Nirgendwo sieht alles gleich aus.*

einem Pfefferminzbonbon, das er in seiner Tasche fand, und nichts zu trinken außer flaschenweise Berserker-Bräu, wovon das ganze Haus voll war. Hier bewahrte Tante Brunhilda ihren persönlichen Vorrat auf.

(»Der Glückspilz«, murmelte Stoop.)

Da er nicht zu mindestens 37 Prozent Monster war, änderte Dad prompt seine Gestalt. Aber was hätte er sonst tun sollen? Er musste etwas trinken, sonst wäre er zusammengeschrumpelt wie ein Oktopus in der Sahara.

Glücklicherweise wurde Dad mit jeder Flasche Berserker-Bräu, die er trank, immer stärker und ogerhafter, bis er eines Tages die Wände des Hauses zertrümmerte und sich auf den Heimweg machte. Man kann sich vorstellen, wie entsetzt er war, als er erfuhr, dass die Frau, die ihn entführt hatte, jetzt in seinem Haus lebte!

Und noch schlimmer: dass sie die Karte gefunden hatte und sich just in diesem Moment auf den Weg nach Königsruh machen wollte, um den Ogerkönig zu wecken.

Dad erstarrte das Blut in den Adern. Mum hatte

ihm vor ihrem Tod das Versprechen abgenommen, dass diese Karte niemals in die falschen Hände geraten dürfe. Und in falschere Hände hätte sie gar nicht geraten können, selbst wenn er eine Anzeige in der Zeitung geschaltet hätte, um den Besitzer der **falschesten Hände der Welt** ausfindig zu machen.

Er hatte Tante Brunhilda gepackt und aufgefordert, die Karte zurückzugeben. Er hatte nicht vorgehabt, sie zu essen, sagte er, auch wenn er zugeben musste, dass sie dann doch ziemlich schmackhaft aussah.*

Das war der Moment, in dem ich ihm den Stein zwischen die Augen schoss und er auf unser Haus stürzte.

(»Guter Schuss, übrigens«, fügte er hinzu.)

Als Dad wieder zu sich kam, fürchtete er, dass ich einen weiteren Stein nach ihm feuern könnte, bevor er erklären konnte, wer er war. Deshalb versteckte er sich hinter dem Haus der Nachbarn und belauschte Stoop und mich, als wir die Karte in

---

* *Das tun die meisten Leute, wenn man eine Woche lang nur ein Pfefferminzbonbon gegessen hat.*

den Trümmern fanden, und dann folgte er uns nach Königsruh, wo ich ihn prompt ein zweites Mal außer Gefecht setzte.

Erst als die Wirkung dieses Schlags nachließ, fiel ihm wieder ein, wer er war. Er erzählte es Stoop, und schon rannten sie in den Wald, um Nancy und mich zu retten.

Ich glaube, das ist so ziemlich die ganze Geschichte, aber falls noch etwas unklar ist, dann schreibt mir einfach eine Nachricht, und ich versuche, die Lücken zu schließen. Nichts ist ärgerlicher in einem Buch als unerklärte Löcher im Plot.*

Dieses Puzzle brauchte nur noch ein letztes Teil, um vollständig zu werden.

»Was um alles in der Welt hatte die Karte von der letzten Ruhestätte des Ogerkönigs auf unserem Dachboden zu suchen?«, rief ich.**

Dad blickte belämmert drein.

Was heißen soll, dass er verlegen aussah und

---

* Abgesehen von langen, ausführlichen Beschreibungen von Leuten und Orten. Was soll das – es gibt doch Fotos!
** Diese Frage habt ihr euch vermutlich auch schon gestellt.

nicht wie ein Schaf – auch wenn das im Vergleich zum Oger ein Fortschritt wäre.

»Es tut mir leid, Jack«, sagte er. »Ich bin nicht ehrlich zu dir gewesen. Ich habe in all den Jahren ein Geheimnis gehabt. Weißt du, es ist so … deine Mutter und ich waren auch Monsterjäger.«

An der Nase
herumgeführt

Ich hätte nicht verdatterter sein können, wenn ich
einen Hai in der Toilette vorgefunden hätte oder
ein Schwalbennest in der Schwalbennestersuppe.
Es war, als würde ich erfahren, dass eine tote
Nacktschnecke den Weltrekord im 100-Meter-
Hürdenlauf gebrochen hat.

Dad KONNTE einfach kein Monsterjäger sein!

Wie bereits erwähnt, er war kein Typ, der sich in
Abenteuer hineinziehen ließ.

Ich hatte immer angenommen, wenn er ein Buch
über die aufregendsten Dinge schreiben sollte,
die er in seinem Leben getan hatte, dann müsste es
noch weniger Kapitel haben als das **Benimm-
buch für Oger**.

Seine Vorstellung von einem gefährlichen Leben
war, eine neue Sorte Teebeutel auszuprobieren.

Doch anscheinend hatte ich mit dieser Annahme gründlich danebengelegen.

»Du führst mich an der Nase herum«, sagte ich.

»Tue ich nicht«, sagte Dad. »Das könnte ich gar nicht mit zusammengebundenen Händen.«

»Ich auch nicht«, bemerkte Stoop. »Ich bin nicht mal in der Nähe deiner Nase!«

»Ich glaube, Jack meint etwas anderes«, versuchte Nancy zu vermitteln, aber umsonst. Dad redete bereits weiter, und ich bekam nie die Gelegenheit, die Sache mit der Nase aufzuklären.

»Die Wahrheit ist, Jack, dass du aus einer alten Familie von Monsterjägern stammst. Deshalb haben wir dich ja auch Jack genannt. Jack der Riesentöter war ein entfernter Verwandter deiner Mutter. Sie war es auch, die mich überhaupt erst in dieses Geschäft hineingezogen hat. Sie hat mich regelrecht in die Falle gelockt, indem sie mir eine Ausgabe von *Monsterjagen für Anfänger* geschenkt hat. Du hättest ihren triumphierenden Blick sehen sollen, als sie merkte, dass ich reingefallen war.* Andern-

* *Den Blick kannte ich nur zu gut.*

falls hätte ich den Job nie angenommen. Als wir uns kennenlernten, machte ich eine Ausbildung zum Paläontologen. Das ist jemand, der Fossilien erforscht.«

»Das weiß ich!«

Was glaubte er eigentlich, was ich den ganzen Tag in der Schule machte? Aus dem Fenster gucken und träumen?*

»Ich mache dir keine Vorwürfe, wenn du mir nicht glaubst«, sagte Dad, der sah, dass es mir schwerfiel, diese neuen Informationen zu verdauen. »Aber ich kann es beweisen.«

Er zappelte in seinem Seil, bis er es schaffte, eine

* *Das machte ich nur den* halben *Tag.*

Hand in die Tasche zu stecken und ein paar Fotos
herauszuziehen.

»Schau, hier ist ein Bild von ihr, wie sie gegen
einen Kraken kämpft. (Da links bin ich, versteckt
unter Wasser.)

Hier versucht sie, einen dreiköpfigen Butzemann
zu hypnotisieren – mit nichts als

einem Augapfel an
einer labberigen Spa-
ghetti. (Glaub mir,
die Einzelheiten
willst du nicht wis-
sen. Ich habe da-
von immer noch

Albträume.) Und hier ringt sie gerade mit einem …
äh, ich weiß selbst nicht genau, was das ist.«

»Eine Art formloser Glibber mit zu vielen Mäulern«, erwiderte ich.

Dad seufzte wehmütig.

»Unter uns, Jack, ich war kein guter Monsterjäger. Ich war nur gut im Wegrennen. Das Kämpfen hat meistens deine Mum übernommen. Sie war immer für eine schöne Prügelei zu haben.«

»Nell war die Beste«, stimmte Stoop zu. »Weißt du, Bob, es hängen immer noch Bilder von ihr im Hauptquartier der Internationalen Monsterjäger-Liga. Ich hatte ja keine Ahnung, dass du ihr Sohn bist, als ich dich zu meinem Lehrling gemacht habe, Jack.«

»Jack zuliebe haben wir all das aufgegeben«, sagte Dad. »Als wir uns niedergelassen haben, um eine Familie zu gründen, habe ich Nell gesagt, dass unser Kind nur in Sicherheit aufwachsen könne, wenn keine Monster in der Nähe seien. Ich hoffte damals, dass Jack nach mir kommen und sich ein ungefährlicheres Hobby suchen würde. Zum Beispiel Briefmarkensammeln. Oder Stierkampf. Nell wusste es besser. Sie hat immer gesagt, er würde in unsere Fußstapfen treten. Deshalb hat sie dir so viele Geschichten über Monster erzählt, Jack. Sie wollte, dass du bereit bist, wenn deine Zeit gekommen ist. Ich wünschte, sie wäre jetzt hier. Sie hätte gewusst, was zu tun ist. Das wusste sie immer.«

Ich hätte wütend sein sollen, dass er mir so lange die Wahrheit verschwiegen hatte, die mir nun bestätigte, was ich in meinem tiefsten Inneren immer gewusst hatte, über mich und meinen **Appetit auf Abenteuer**.*

Aber ich wollte nicht weiter mit ihm streiten.

Er konnte ja auch nichts dafür, dass er so war, wie er war. Er hatte nur versucht, mich zu beschützen.

»Mach dir keine Sorgen, Dad«, sagte ich und kam mir so vor, als wäre ich der Erwachsene und er müsste getröstet werden, so wie ich früher, wenn ich einen Albtraum gehabt hatte. »Ich überlege mir was, wie wir hier rauskommen. Schließlich bin ich Mums Sohn!«

* *Nicht zu verwechseln mit meinem Appetit auf Würstchen im Schlafrock.*

»Weißt du was, Jack?«, sagte Dad. »Ich glaube wirklich, dass du das schaffst. Ich bin nur froh, dass du Nells Hirn hast und nicht meins, sonst wären wir erledigt. Mehr als erledigt.«

Allerdings wusste er nicht, dass ich mir eben dieses Hirn zermarterte, seit wir hier eingewickelt waren, und mir noch immer kein narrensicherer Plan eingefallen war, um die Lage zu retten.*

Was half es mir zu wissen, dass ich von einem alten Geschlecht der Monsterjäger abstammte, wenn dieses Geschlecht nun ein Ende finden sollte?

---

* Mir war nicht mal ein Plan eingefallen, der das wie auch immer geartete Gegenteil von narrensicher war.

Die Vorteile, nicht zu existieren

Wenn wir freikommen wollten, musste Boffin uns losbinden, doch das war leichter gesagt als getan.*

Der Oger hatte mit verschränkten Armen unter einem Baum gesessen und geschmollt, seit die anderen den Hügel hinuntergepoltert waren. Wie sollte ich ein maulendes Monster dazu bringen, uns zu befreien, wenn sein einziger Lichtblick die Aussicht war, uns in näherer Zukunft zu fressen?

Ich versuchte, mich an alles zu erinnern, was ich an diesem Tag über Oger gelernt hatte.

Sie waren groß.

Sie waren dumm.

Sie hatten extrem stinkige Füße.

Von diesen drei Tatsachen bot nur die zweite

---

* Das trifft auf so ziemlich alles zu, wenn man es bedenkt. Zu sagen, dass man etwas tut, ist immer leichter, als es zu tun.

eine gewisse Chance, von Nutzen zu sein. Ich beschloss, die Sache direkt anzugehen, und rief Boffin zu uns herüber.

»Ich brauche deine Hilfe, um mich aus diesem Seil zu befreien«, sagte ich und lächelte so breit, wie ich konnte, ohne mir die Wangen aufzureißen. »Es schneidet mir in die Handgelenke.«

Ich hielt ihm die Knoten hin, damit er sie lockerte.

Der Oger sah mich regelrecht enttäuscht an, dass ich geglaubt hatte, mein Plan könnte funktionieren.

»Was glaubst du, wie blöd ich bin?«, fragte er.

»Ich hatte gehofft, ziemlich blöd.«

»Tja, bin ich aber nicht«, knurrte Boffin. »Tante Brunhilda hat mir die Verantwortung übergeben, und ich werde alles dafür tun, dass ihr nachher noch hier und verzehrbereit seid, wenn sie zurückkommt.«

»Du darfst uns nicht gegen unseren Willen hier festhalten!«, sagte Nancy streng. »Weißt du nicht, dass es verboten ist, Kinder zu fesseln?«

Zum ersten Mal sah der Oger verängstigt aus.

»Seid ihr denn ... Kinder?«, fragte er mit vor Schreck geweiteten Augen.

»Natürlich sind wir Kinder«, sagte Nancy. »Was hast du denn gedacht – ein paar Riesenfurzdudler?«

»Aber ihr könnt keine Kinder sein«, sagte Boffin. »Kinder gibt es nicht.«

»Es gibt uns nicht?«, sagte ich verblüfft, weil ich mir ziemlich sicher war, dass es uns gab.

»Schön, dass du es selbst zugibst«, sagte Boffin. Ihm war entgangen, dass meine Äußerung eine Frage und keine Aussage gewesen war. »Die Tatsache ist bekannt. Kinder sind nur Wesen, die Mama-Oger und Papa-Oger erfunden haben, damit die kleinen Oger artig sind. Meine Eltern haben immer gesagt, ich solle aufhören, meinen Bruder Baffin zu hauen, sonst würde in der Nacht ein Kind kommen und mich holen.«

Boffin schauderte bei der Erinnerung.

Plötzlich kehrte meine Hoffnung zurück. Ich hatte eine Idee. Und diesmal konnte sie sogar funktionieren.

»Aber wenn es Nancy und mich gar nicht gibt«, sagte ich, »warum habt ihr uns dann gefesselt? Wesen zu fesseln, die es nicht gibt, ist eine fürchterliche Seilverschwendung!«

»Daran habe ich noch gar nicht gedacht ...«

»Na ja«, fuhr ich fort, »wenn es uns wirklich nicht gibt, dann kannst du uns ebenso gut sofort losbinden.«

»Tja, das kann wohl nicht schaden, wenn es euch wirklich nicht gibt«, stimmte Boffin zu und lockerte die Seile um unsere Handgelenke. »Aber den binde ich nicht los«, fügte er mit einem finsteren Blick auf Stoop hinzu. »Der ist ein Monsterjäger. Dass es *die* gibt, weiß ich.«

»Nein, ihn musst du natürlich nicht losbinden«, sagte ich, während Nancy und ich unsere freien Hände nutzten, um die Schlingen um unsere Füße zu lockern und aufzustehen. »Das wäre ja dumm. Aber wenn ich es tue, ist es nicht schlimm, oder? Denn mich gibt es ja nicht.«

»Klingt logisch«, sagte Boffin, als ich mich ans Werk machte.

»Wenn ich drüber nachdenke ... Da es mich nicht gibt, ist es eigentlich auch egal, wenn ich das Seil hier nehme, um dich zu fesseln, oder?«

»Ich werde nicht gerne gefesselt«, sagte Boffin.

»Aber es gibt mich ja nicht, schon vergessen?«

»Oh, ja, das hatte ich kurz vergessen.«

»Leg mal den Finger da drauf«, bat ich, während ich das Seil rund um die Beine des Ogers wickelte und stramm zog. »Ich muss einen Knoten machen.«

Boffin legte freundlicherweise einen Finger auf das Seil, sodass ich eine hübsche Schleife binden konnte.

Dann begann ich, den Rest des Seils um seine Brust zu wickeln und die Arme fest an seinen Körper zu binden.

»Bin ich froh, dass es dich nicht gibt«, sagte der Oger. »Sonst würde ich mir jetzt ganz schön blöd vorkommen.«

»Oger sind ja noch unterbelichteter, als ich dachte«, kicherte Nancy, während sie sich bückte, um Dad von seinen Fesseln zu befreien.

Der Oger, der endlich begriff, dass er einen Fehler gemacht hatte, zappelte im Seil.

»Das ist nicht fair!«, zeterte er. »Ich werde eine offizielle Beschwerde beim **Monsterrat** einlegen. Es ist absolut regelwidrig, von Wesen gefangen zu werden, die es nicht gibt! Früher war alles besser, als ihr uns einfach gekillt habt!«

»Finde ich auch«, sagte Stoop, »aber was will
man machen? Ich bin nur ein kleiner Monsterjäger,
und du bist nur ein vertrottelter menschenfressen-
der Klotz mit einem Gehirn von der Größe eines
Sandkorns. Wir werden uns beide damit ab-
finden müssen.«

Boffin schluchzte vor sich hin,
während wir gemeinsam den
Hügel hinunterstürmten,
hinein in den wach-
senden Lärm der
Schlacht.

Schutt und Trümmer

Als wir in Königsruh ankamen, war die Schlacht bereits in vollem Gange.

Erst erreichten Nancy und ich den Marktplatz, dann Dad und Stoop, die schnauften und sich die Seiten hielten, und ich sah, dass die Oger den umstehenden Gebäuden bereits **erheblichen Schaden** zugefügt hatten.*

Die meisten Fenster waren eingeschlagen, und der schiefe Uhrturm war nie schiefer gewesen.

Die Metzgerei, die Bäckerei und die Kerzenmacherei hätten aufs Geschäft mit Schutt und

---

* Das ist eine der schlimmsten Sorten Schaden. Deutlich schlimmer als geringfügiger Schaden, wenn auch nicht ganz so ärgerlich wie Totalschaden.

Asche umsteigen können, denn mehr war von ihren Läden nicht mehr übrig.

Der Flohmarkt war ebenfalls zerstört, und die meisten Flöhe waren geflohen, was auch passte, denn wenn irgendjemand fliehen kann, dann ja wohl Flöhe.

Meine Augen suchten verzweifelt nach Humbert. Ich wollte mich vergewissern, dass der Bär nicht übel zugerichtet worden war, seit ich ihn zuletzt gesehen hatte.

Ich hätte mir keine Sorgen machen müssen.

»Da!«, sagte Nancy und zeigte nach oben.

Als ich aufblickte, sah ich, dass Humbert die Stadtbewohner auf das Dach des Rathauses geführt hatte, weil es das größte und stabilste Gebäude war. Dort standen sie nun und schleuderten Kohl-

köpfe auf die
Oger, die sich un-
ten versammelt hat-
ten und ihre Knüppel und Äxte
schwangen, während Tante Brunhilda
zum Angriff blies.

Gestern war Markttag gewesen, es gab
also genug Munition, und die Stadtbewohner hatten keine Probleme damit, die
Oger zu verletzen, weil sie nichts von den
Regeln der Internationalen Monsterjäger-Liga
wussten, und wenn, dann wäre es ihnen in diesem Moment wohl auch egal gewesen. Überleben war wichtiger.

»Was für eine Verschwendung«, bemerkte
Stoop und starrte den herumfliegenden Kohl-

köpfen hinterher, die durch die Luft zischten wie kugelförmige flügellose Vögel.*

Die Oger waren noch übellauniger als vorher, weil es ihnen bisher nicht gelungen war, auch nur einen einzigen Stadtbewohner anzuknabbern, und sie bereuten es sehr, dass sie uns nicht verschlungen hatten, als sie noch die Chance dazu gehabt hatten.

Ab und zu schaffte es einer von ihnen bis zur Tür, nur um von einem gut gezielten Kohlkopf zurückgedrängt zu werden, denn Oger sind nicht die talentiertesten Anschleicher.**

Sie zogen sich an den Rand des Platzes zurück, um sich zu beraten.

Der Einzige, der nicht mitkämpfte, war der Ogerkönig. Er saß auf dem Boden, mit dem Rücken zum Rathaus, und unterhielt sich liebenswürdig mit den Leuten auf dem Dach. Er erzählte, dass hier früher nur Felder gewesen waren, und ent-

---

* Also eigentlich überhaupt nicht wie Vögel.
** Wärst du auch nicht, wenn du die Größe eines Elefanten hättest, der gerade einen Schulbus verdrückt hat.

schuldigte sich für die schlechten Manieren der anderen Oger.

»Bleibt, wo ihr seid!«, rief Humbert glücklich, als er uns sah. »Ich komme gleich runter.«

Der Ogerkönig hob seine Riesenpranke, damit der Bär darauf steigen konnte, und setzte ihn vorsichtig auf den Boden. Schnell kam er zu uns herüber.

Ich stellte Dad und Bär einander vor, und sie schüttelten Hände und Tatzen und beteuerten, wie nett es sei, sich endlich kennenzulernen, und wie schön das Wetter sei, bis Stoop mit dem Fuß aufstampfte und fragte, ob wir nicht gerade etwas vergäßen.

»Hat jemand Geburtstag?«, fragte Humbert.

»Ich meine die Schlacht!«, fauchte Stoop. »Wie sollen wir all diese Oger besiegen?«

»Ich wusste doch, dass ich dir etwas sagen muss, Jack«, sagte der Bär. »Mir ist wieder eingefallen, wo die magische Harfe ist.«

Anfängerglück

»Wirklich?«, fragte ich hoffnungsvoll, denn wenn
uns jetzt überhaupt irgendwas helfen konnte, dann
wohl am ehesten ein magisches Irgendwas.

»Die Harfe war gar nicht in der Höhle. Ich hatte
sie zur Reparatur in den Laden zurückgebracht,
wenige Tage, bevor die Oger aufgetaucht sind«,
sagte Humbert. »Ein paar Saiten sind gerissen, als
ich versucht habe, drauf zu spielen. Harfen sind
nicht das beste Instrument, wenn man Krallen hat.«

»Wo ist dieser Laden?«, fragte Nancy.

»Gleich da drüben«, sagte Humbert und zeigte
auf den *Alten Laden der kuriosen Dinge*.

Ich rechnete mit dem Schlimmsten, aber das Geschäft wirkte unversehrt. Entweder war es Glück,

oder Oger haben mehr Respekt vor kuriosen alten Dingen, als man allgemein annimmt.*

»Wir müssen rein«, sagte ich.

»Kein Problem«, sagte Nancy. »Mir nach.« Zu meiner Überraschung marschierte sie geradewegs auf die Tür zu und zog einen Schlüssel aus der Tasche. Und dieser Schlüssel begann nicht zu kreischen, wie der an der Wand in der Ogerhöhle.

Er blieb stumm, als Nancy ihn ins Schlüsselloch steckte und mit einem leisen Knirschen umdrehte.

»Das ist der Laden von meiner Mum«, erklärte sie, öffnete die Tür, trat ein und gab uns ein Zeichen, ihr leise zu folgen. »Sie hat ihn gekauft, als wir nach Königsruh gezogen sind. Ich helfe ihr, wenn ich nicht in der Schule bin. Was sagst du?«

Der *Alte Laden der kuriosen Dinge* war ein einziges herrliches Durcheinander.

Es gab dort Statuen und Löffel und alte Fahrradräder und Tennisschläger und hölzerne Hutständer und eiserne Stiefelständer und kupferne Kohleeimer und wacklige Tischchen und Silberkelche und

* *Ich denke, Ersteres war der Fall.*

Tontöpfe und Regale mit Urnen und Krügen und Gemälde an allen Wänden, bis auf die Wände, an denen Spiegel hingen, und Kästen mit Münzen und Kleiderstangen mit alten Kleidern und Truhen voller Edelsteine und Broschen und Silberringe.

»Wann, sagtest du, hast du sie zur Reparatur gebracht?«, fragte Nancy.

»Letzten Dienstag«, erinnerte sich der Bär.

»Dann muss sie da drüben sein.«

Nancy führte uns in einen Lagerraum im hinteren Teil des Ladens. Dort, in einer Ecke, gut verschnürt, war ein großes braunes Paket in der Form einer Harfe, das nur darauf wartete, ausgepackt zu werden.

Es musste Humberts Harfe sein.

Wenn nicht, dann wäre das ein durch und durch erstaunlicher Zufall, und durch und durch erstaunliche Zufälle lassen sich schwer so schön verpacken.

Nancy nahm das Paket und reichte es mir. Jetzt hatte ich, was ich brauchte, um die Oger einzuschläfern und Königsruh zu retten.

Ich wartete gar nicht erst ab, dass mir Zweifel

kamen. Ich rannte aus dem Laden auf den Marktplatz und räusperte mich laut, um die Oger auf
mich aufmerksam zu machen.

Wenn mir an diesem Morgen jemand gesagt
hätte, dass ich mit aller Kraft versuchen würde, die
heißhungrigen Blicke einer ganzen Monsterarmee
auf mich zu ziehen, dann hätte ich ihn für verrückt
erklärt. Ich hatte Appetit auf Abenteuer, das schon,
aber nicht auf ein Abenteuer mit vielen Mäulern
voll spitzer Zähne.

Monster lassen sich ebenso leicht ablenken wie
Hunde, und sofort hörten sie auf, ihre Knüppel zu
schwingen, und richteten ihre Ogeraugen auf mich.

»Bist du dir wirklich sicher, dass das funktioniert?«, fragte Nancy nervös, als Stoop seine Lieb-
lingsaxt zückte, nur für den Fall.

»Nö«, sagte ich. »Aber es ist unsere **einzige
Chance**.«

Ich stellte das harfenförmige Paket auf die Pflas-
tersteine und riss das braune Papier auf.

Die Harfe hatte nur drei Saiten, und zwei davon
sahen ziemlich labberig aus. Aber drei ist besser
als zwei und wesentlich besser als eins, wenn man

nicht gerade Schürfwunden zählt, in welchem Fall die Zahl Null die beste Zahl von allen ist.

Ich begann zu spielen.

Besser gesagt, ich hätte gespielt, wenn ich gewusst hätte, wie. Leider hatte ich nie Harfenunterricht gehabt.

In dem Moment, in dem ich meine Finger auf die Saiten legte, riss die erste mit einem lauten **Zapp**.

»Jetzt ist Feierabend«, murmelte Stoop düster, während die Oger uns gierig beäugten. Aber ich war doch wohl nicht so weit gekommen, um an der letzten Hürde zu scheitern?

Andere Saiten aufziehen

»Warum schaust du nicht in dein Buch?«, fragte eine spöttische Stimme vom Rathausdach. »Du weißt schon welches. Das für Anfänger.«

Ich blickte auf und sah den Bürgermeister so sehr lachen, dass ihm beinahe der Zylinder vom Kopf gefallen wäre. Es war fast so, als wünschte er sich, dass ich scheiterte.

Ich wartete darauf, dass die anderen Stadtbewohner in das Gelächter einstimmten, aber ... das taten sie nicht.

»Lass ihn in Ruhe«, sagten sie. »Er tut sein Bestes. Das ist mehr, als du je getan hast.«

Ich war gerührt, dass sie solches Vertrauen in mich hatten. Aber was sollte ich tun, wenn die Harfe nicht funktionierte?

Dann fiel es mir ein.

Der Bürgermeister hatte recht, dass die Antwort in *Monsterjagen für Anfänger* stand, aber ich musste sie nicht erst nachlesen. Ich wusste bereits, was das Buch zum Thema Oger und magische Harfen zu sagen hatte:

Einzelheiten dazu unter »Jack und die Bohnenranke«.

Wieder ging ich die Geschichte des anderen Jack durch: Wie er eine Kuh gegen ein paar Bohnen getauscht hatte, die über Nacht zu einer riesigen Bohnenranke wuchsen, die bis in den Himmel reichte, und wie er daran zum Schloss des Riesen in den Wolken geklettert war und eine Henne gestohlen hatte, die goldene Eier legte, und …

»Eine magische Harfe, die sich selber spielt!« Ich schnippte mit den Fingern. »Das ist es! Ich muss gar nicht Harfespielen lernen. Die Harfe weiß auch so, was zu tun ist. Ich muss sie nur höflich bitten.«

Ich stellte die Harfe auf.

»Bitte, magische Harfe, spielst du etwas für mich?«

»Ich dachte schon, du würdest nie fragen«, antwortete die Harfe.

Die beiden letzten verbliebenen Saiten begannen zu zittern, und eine süße Musik schwebte durch die Luft wie Pollen an einem Sommertag, nur dass man von Musik nicht niesen muss.*

»Ich glaube, es funktioniert«, flüsterte Nancy, als sich auf den Gesichtern der Oger ein verzücktes Grinsen ausbreitete.

Mich sorgte allerdings, dass das Grinsen nicht sagte: »Ich bin so müde, dass ich sofort ein Nickerchen machen könnte.« Sondern eher: »Oho, Zeit fürs Abendessen!«

»Warum schlaft ihr nicht ein?«, fragte ich.

»Bist du noch nicht darauf gekommen?«, fragte Tante Brunhilda süffisant. »Magische Harfen schläfern nur Riesen ein. Keine Oger.«

»Upsi«, sagte die Harfe.

»Interessant«, sagte Stoop. »Hat sich das Buch etwa vertan?«

»Schnappt sie euch!«, befahl Tante Brunhilda.

---

* *Es sei denn, man ist allergisch, dann kann das schon passieren.*

Oger oder Nicht-Oger?

Es blieb uns also nichts anderes übrig, als zu kämpfen.

Dad griff nach der Eisenstange, die Gülle mit einem Stift verwechselt hatte, und nutzte sie wie ein Schwert, um sich in die Schlacht zu stürzen. Er war noch immer fest entschlossen, mich zu beschützen.

Stoop, der in beiden Händen Waffen hielt, hieb fröhlich auf die Oger ein und vergaß im Eifer des Gefechts alle Regeln gegen die Misshandlung von Monstern.

Nancy hob Kohlköpfe vom Boden auf und feuerte sie mit unbeirrbarer Treffsicherheit auf den Feind. Ihr bester Wurf traf Tante Brunhilda voll auf die Nase, und großer Jubel brach aus – auch von den Ogern, die es langsam leid waren, sich von einer Anführerin herumkommandieren zu lassen, die nicht mal ein ganzes Monster war, sondern nur ein halbes.

Selbst Humbert, der eigentlich nichts fürs Kämpfen übrighatte, wickelte Wollknäuel ab und spannte Fäden kreuz und quer über den Platz, um die Oger, die dort ihr Unwesen trieben und ebenso oft mit anderen Ogern aneinandergerieten wie mit uns, zu Fall zu bringen.

Alle trugen ihren Teil bei, aber lange würde unser Erfolg nicht anhalten. Es waren schlicht zu viele Oger, um sie zu besiegen. Schließlich waren meine Freunde in eine Ecke gedrängt worden, hatten keine Munition mehr und konnten nicht fliehen. Wieder einmal musste ich schnell denken.

Ganz hinten in meinem Kopf – wie eine Maus, die sich in einer Packung Cracker versteckt – war etwas, das Stoop erwähnt hatte, als er den Unterschied zwischen Ogern, Riesen und Trollen erklärt hatte. Er hatte gesagt, dass Oger ihre Form und Größe ändern konnten, wenn ihnen danach war.

Die Form ändern – konnte das nicht die Antwort sein?

»Warum macht ihr das?«, rief ich den tobenden Monstern zu. »Seid ihr wirklich Oger? So verhalten sich Oger doch gar nicht!«

Verblüfft hielten sie inne.

»Nicht?«

»Natürlich nicht! Wisst ihr nicht mehr, was der Ogerkönig nach dem Aufwachen gesagt hat? Er hat gesagt, Oger fressen keine Menschen. Nur Trolle ... He, Moment mal! Wenn ihr uns fressen wollt, heißt das doch, dass ihr Trolle seid. Oder?«

Die Oger kratzten sich verwirrt die Köpfe.

Einige von ihnen waren so verwirrt, dass sie sogar anderen Ogern die Köpfe kratzten.

»Bist du sicher?«

»Natürlich bin ich sicher«, fuhr ich fort. »Außerdem hat er gesagt, dass Trolle richtig, richtig, richtig hässlich sind, und nun seht euch mal an. Ihr seid **abstoßend!**«

»Stimmt«, sagten die Oger stolz. »Das sind wir in der Tat. Es ist unsere beste Eigenschaft.«

»Aber wenn wir Trolle sind«, folgerte einer von ihnen, »heißt das nicht, dass wir uns bei Sonnenlicht in Stein verwandeln?«

»Richtig.« Ich tat sehr erstaunt. »Wie schlau, dass ihr von selbst darauf gekommen seid!«

»Hört nicht auf ihn!«, kreischte Tante Brunhilda. »Das ist ein Trick!«

Aber es war zu spät. Dass sie ihre Gestalt ändern konnten, stürzte die Oger ins Verderben. Der Glaube, dass sie Trolle waren, genügte, um die Verwandlung einzuleiten.

Einer nach dem anderen wurde zu Stein.

Manche von ihnen versuchten, sich vor dem Sonnenlicht zu verstecken, aber die Sonne war besser im Versteckspielen als sie. Schließlich spielte sie das Spiel jeden Tag mit den Wolken und jede Nacht mit dem Mond.

Schon nach wenigen Sekunden war der Platz voll riesiger Felsbrocken, wo gerade eben noch eine Ogerarmee gestanden hatte.

Nur Tante Brunhilda war noch da, weil sie nur

ein halber Oger war und folglich zu wenig Oger, um sich so leicht hinters Licht führen zu lassen.

»Jetzt sind wir unter uns, Jack«, sagte sie.

Und mit einem hasserfüllten Gebrüll stürzte sie sich auf mich, um mich **ein für allemal zu erledigen**.

Plan B

»Halt!«, schrie ich, als die anderen mit gezogenen Waffen vor mich sprangen, um mich zu beschützen. »*Ich* muss das machen.«

Tief in meinem Inneren hatte ich immer gewusst, dass es zu diesem Kampf kommen würde. Dieses Abenteuer hatte mit Tante Brunhilda und mir begonnen.

Es musste auch mit uns enden.

»Sei vorsichtig, Jack«, warnte Humbert, als sie widerstrebend zurückwichen. »Sie ist eine alte Trickserin.«

Als hätte ich das nicht gewusst!

Ich schritt auf sie zu und fragte mich, warum sie grinste.

»Du fragst dich bestimmt, warum ich grinse«,
sagte sie, als ich vor ihr stand.

»Nö.«*

»Schwindler«, sagte Tante Brunhilda. »Ich sage
es dir trotzdem.«

Ich hatte nichts anderes erwartet.

»Ich grinse, weil die Karte mit der letzten Ruhestätte des Ogerkönigs nicht das Einzige war, was
ich gestern Nacht auf deinem Dachboden gefunden
habe. Ich habe in den Papieren deiner Mutter noch
viele andere interessante Informationen entdeckt.
Hast du gewusst, dass der erste Bürgermeister von
Königsruh ein Stinkstiefel war?«

Dies war nicht der richtige Moment für eine Dis-
kussion über Stinkstiefel, aber der Wissenschaft
zuliebe kommt hier der Artikel für alle, die er interessiert:

---

* *Normalerweise bin ich ehrlich, aber in diesem Fall fand ich eine Schwin-
delei verzeihlich. Sie sollte nicht glauben, dass sie meine Gedanken lesen
konnte. Sie war sowieso schon im Vorteil, weil sie größer war als ich und
weniger Probleme mit Gewalt hatte.*

Stinkstiefel

Stinkstiefel sind die jämmerlichsten aller Monster. Ihre stärkste Waffe ist, dass sie andere unzufrieden machen. Frage niemals einen Stinkstiefel, wie er deine neue Frisur findet. Er wird immer behaupten, dass sie schrecklich aussieht, auch wenn das nicht stimmt. Wenn sie ein Buch ausleihen, schwärzen sie absichtlich jedes zweite Wort auf der letzten Seite, um es allen anderen zu vermiesen. Das ist ganz besonders fies, wenn es um einen rätselhaften Mord geht, denn man liest so etwas ja überhaupt nur, um herauszufinden, wer es war.

»Dank deiner Mutter habe ich nun auch die letzten Informationen, die ich brauchte, um sicherzugehen, dass mein **teuflischer Plan** gelingt. Du fragst dich sicher auch, wie der lautet.«

Es hatte keinen Zweck, es abzustreiten. Ich wäre nicht überzeugend gewesen.

»Ich habe herausgefunden«, sagte Tante Brunhilda, »dass es in der **guten alten Zeit** nicht nur einen Ogerkönig gab. Sondern auch eine Ogerkönigin.«*

Der Ogerkönig schnappte nach Luft.

»Ich hatte wirklich gehofft, man hätte sie vergessen«, japste er.

»War sie so verdorben?«, fragte ich.

»Verdorbener als eine Kanne Milch, die in der Sonne vergessen wurde.«

»Das IST verdorben.«

»Sie hat uns Oger schrecklich in Verruf gebracht. In gewisser Weise war es meine Schuld. Als ich anfing, all diese Geschichten in die Welt zu setzen, dass wir Menschen fressen, wollte sie mal probieren, wie das schmeckt. Und schon bald konnte sie gar nicht mehr genug davon kriegen. Ich hätte sie nie geheiratet, wenn ich das vorhergesehen hätte, aber ich war jung und verliebt. Ich dachte, sie würde sich ändern.«

---

* *Geoffrey von Monmouth scheint von ihr nichts gewusst zu haben. Oder er wollte sie sich für den zweiten Band aufheben,* Geschichte der Königinnen von England, *und hat ihn dann nie geschrieben.*

»Das ist also dein Plan«, sagte ich zu Tante Brunhilda. »Du willst auch die Ogerkönigin wecken.«

Tante Brunhilda schüttelte den Kopf.

»Nach dem, was passiert ist, kann kein Wecker der Welt die Ogerkönigin wecken«, sagte sie genüsslich. »Eines Tages hatten die Oger sie gründlich satt und haben sie zu Pastete verarbeitet.«

»Sie hätte es selbst so gewollt«, bemerkte der Ogerkönig wehmütig. »Ich selbst habe kein Stück probiert. Das wäre falsch gewesen, egal wie böse sie war … aber die anderen meinten, sie habe köstlich geschmeckt.«

»Ich für meinen Teil bin froh, dass sie aufgegessen wurde«, sagte Tante Brunhilda. »Ich würde nur ungern um den Platz der Oberogerin konkurrieren. Ganz recht, Jack. *Ich* werde den Platz der Ogerkönigin einnehmen. Ich hatte eigentlich gehofft, dass der Ogerkönig und ich gemeinsam über das Land herrschen könnten, aber der hat sich ja als Milchbubi entpuppt. Du kennst doch das Sprichwort: Wenn etwas gut gemacht werden soll, muss man es selbst machen.«

Welches Ass hatte sie jetzt wieder im Ärmel?

Königin Brunhilda

Wenn man sagt, jemand hat ein Ass im Ärmel, dann heißt das normalerweise, dass er noch eine Überraschung parat hat. In Tante Brunhildas Fall bedeutete das aber, dass sie tatsächlich etwas im Ärmel hatte. Sie griff hinein und zog eine kleine goldene Krone hervor.

Sie funkelte in der Sonne.

»Diese Krone hat der Ogerkönigin ihre teuflische Kraft verliehen«, erklärte sie entzückt. »Jahrhundertelang war sie verschollen. Aber ich habe aus den Notizen deiner Mum erfahren, dass sie die ganze Zeit in einem Loch in diesem alten Eichenstumpf mitten in Königsruh versteckt war. Ich musste nur herkommen und sie herausholen. Es waren eine paar Mäuse darin, die sie als Hamsterrad benutzten. Aber die haben sich schnell verzogen, als ich gedroht habe, ihnen die Schwänze abzuschneiden und als Schnürsenkel zu verwenden.«

Bevor jemand sie daran hindern konnte, nahm Tante Brunhilda die Krone und setzte sie sich auf den Kopf. Genau wie mein Blechhelm begann sie plötzlich zu wachsen. Und während die Krone wuchs, wuchs auch Tante Brunhilda.

Nancy und ich waren in die Höhe geschossen, als wir das Berserker-Bräu getrunken hatten. Sogar Stoop war ein bisschen größer geworden. Aber Tante Brunhilda hörte nicht auf zu wachsen, als sie Ogergröße erreicht hatte. Sie wuchs immer weiter und die Krone auch.

Sie wurde größer als der Uhrturm.

Sie wurde größer als der Ogerkönig.

Sie war so groß, dass ihre Nagelstiefel den ganzen Marktplatz füllten. Alles wurde dunkel, weil sie das Sonnenlicht verdeckte. Ich konnte kaum noch ihr Gesicht erkennen, weil es so weit weg war.

Das änderte sich leider schnell, als sie die Hand

ausstreckte, mich packte und in der Faust hoch in die Luft hob, so wie Dad-Oger* sie an diesem Morgen bei uns im Garten hochgehoben hatte.

Die anderen schossen hervor und versuchten, sie dazu zu bringen, mich wieder abzusetzen, aber sie waren wie ein Schwarm Sardinen, der einen Killerwal angreift.

Ich konnte nicht glauben, dass sie doch noch gewinnen sollte.

Ich kämpfte mit aller Kraft, aber sie war zu stark. Mir war klar, was sie vorhatte.

Tante Brunhilda klappte ihren riesigen Mund auf und war drauf und dran, mich hineinplumpsen zu lassen.

* *Oder Oger-Dad. Ich bin immer noch unschlüssig.*

Großmaul

Mir blieben nur wenige
Sekunden, bevor ich an diesen
schrecklichen Mandeln vorbei in die
ewige Dunkelheit stürzen würde.

Ich wühlte fieberhaft in
meiner Tasche auf
der Suche nach
etwas … irgendwas …
das mich retten könnte.

Da war mein gutes altes Katapult – doch diesmal hatte ich keinen Stein, den ich verschießen
konnte. Die Kastanien waren zu weich. Die Blei-
stifte waren immer noch nicht gespitzt.

Das Einzige, was übrig blieb, war der Fellball. Ich wusste noch immer nicht, wie er in meinen Rucksack geraten war, aber ich war froh, dass er da war. Er war zwar klein, aber ich war ja auch klein. Manchmal ist klein völlig ausreichend.

Ich ließ den Ball in Tante Brunhildas Mund fallen.

Sie musste Berserker-Bräu getrunken haben, denn kaum berührte der Ball ihre Zunge, da blähte er sich auf wie ein nasser Schwamm.

Sie brauchte einen Moment, um zu merken, dass sie etwas Unangenehmes im Mund hatte. Dann setzte die Wirkung ein.

Sie hustete. Sie prustete. Sie haspelte. Sie raspelte.*

»Warum schmeckt das so widerlich?«, schrie sie durch all ihr Gehuste und Gepruste und Gehaspel.

»Die meisten Dinge schmecken widerlich, die aus einem Katzenmagen kommen«, erwiderte ich.

Hätte Tante Brunhilda noch etwas sagen können, nehme ich an, dass sie so etwas wie **»ÖÖÖ-ÖRRRGHHH!«** gesagt hätte. Das war meine erste Reaktion gewesen, als ich den Fellball in meinem Rucksack gefunden hatte. In ihrem Fall wären

* _Haariges Essen mag niemand, wie Stoop gesagt hatte._

es vermutlich noch einige weitere Ös und Rs und Gs und Hs gewesen.

Aber im Augenblick konnte sie gar nichts sagen.

Große Risse und Sprünge überzogen ihren unnatürlich angeschwollenen Körper, während sie versuchte, den riesigen Fellball auszuspucken, doch der rutschte nur tiefer und tiefer. Ihre Hände flogen panisch an ihren Hals.

Das war gut, denn das hieß, dass sie mich losließ. Nein, halt, das war gar nicht gut, denn das hieß, dass sie mich losließ.

Ich fiel.

Der Boden war sehr weit weg, aber er kam sehr viel schneller näher, als mir lieb war. Diesmal konnte ich mich nicht darauf verlassen, auf einem weichen Bären zu landen. Ich kniff die Augen zu.

Es war schon schlimm genug, am Boden zu zerschmettern, ohne es mitanzusehen.

Im allerletzten Moment, kurz bevor ich auf den Pflastersteinen aufschlug und zu Matsch wurde, merkte ich, dass ich …

FLOG!

Überflügelt

Ich sollte vermutlich erwähnen, dass mir nicht plötzlich Flügel gewachsen waren oder ich fliegen gelernt hatte. Das wäre unbeschreiblich unwahrscheinlich gewesen.

Ich flog, weil ich auf dem Rücken von etwas gelandet war, das fliegen konnte – und noch erstaunlicher war, dass dieses Etwas ein Drache war.

Es war nur ein kleiner Drache, aber selbst der kleinste Drache ist ein erfreulicher Anblick, wenn man sein Leben lang gehört hat, dass es keine Drachen gibt.

Noch erfreulicher ist es, wenn der Drache einen vor einem fiesen Zermatsch-Platscher rettet.*

* *Für mich die schlimmste Art von Platscher.*

Der Drache hatte leuchtend rote Schuppen, die in der Sonne funkelten wie Rubine, als er mich mit einem wilden Wusch aus Flügeln und Wind in den Haaren in die Luft hob.*

Wir flogen zweimal um den schiefen Uhrturm und beobachteten entzückt, wie Tante Brunhilda sich vornüber beugte und weiter an dem widerlichen Fellball herumwürgte wie eine Katze.

Endlich schoss der Ball aus ihrem Hals und klatschte gegen das Rathaus, wo er total eklig an der Wand nach unten **schlibberte**.

Rasend vor Wut hielt Tante Brunhilda nach einem gewissen Jungen namens Jack Ausschau, um ihm zur Rache den Fellball in SEINEN Hals zu stopfen.**

Der Drache brauste davon, bevor ihre rudernden Arme mich von meinem Sitz fegen konnten, und unten am Boden folgten uns meine Freunde zu Fuß.

Wenig später glitten wir am Stadtrand zur Erde. Ich rutschte vom Rücken der Kreatur und schwankte, wie wenn man aus dem Karussell steigt und der Kopf nicht aufhören will, sich zu drehen.

---

* *Als wären sie nicht schon zerzaust genug gewesen.*
** *Damit bin ich gemeint, falls es daran irgendwelche Zweifel gab.*

Der Drache verbeugte sich tief.

»Cadwallader steht zu deinen Diensten«, erklärte er feierlich mit walisischem Akzent.*

»Ich hoffe, ich war nicht zu schwer«, sagte ich.

»Ich bin wie du, Jack. Ich bin stärker, als ich aussehe«, sagte Cadwallader. »Einmal habe ich gewettet, dass ich es schaffe, einen Traktor bis zur Isle of Man und zurück zu fliegen, und habe gewonnen.«

»Und was hast du gewonnen?«

»Einen Jahresvorrat an Feuerzeugen. Manchmal brauchen Drachen an kalten Tagen ein bisschen Starthilfe beim Feuerspucken.«

Das Geräusch von eiligen Füßen** brachte Nancy und Stoop und Dad und Humbert zu uns.

Alle blieben stehen und starrten Cadwallader verblüfft an.

»Da brat mir einer einen Storch«, rief Stoop. »Drachen gibt es doch!«

»Wussten Sie das wirklich nicht?«, fragte ich.

»Woher denn? Die stehen auf keiner offiziellen Monsterjägerliste.«

* Vermutlich, weil er aus Wales war.
** Und eiligen Pfoten.

»Ich bin mir so sicher, wie ein Drache nur sein kann, dass ich der Letzte meiner Art bin«, sagte Cadwallader. »Seit dem Tag, an dem ich als Baby aus einem Häuflein Asche geschlüpft bin und sah, dass ich allein war, suche ich die Welt nach Artgenossen ab. Leider ohne Erfolg. Die meisten Menschen, die mich sehen, glauben, sie würden träumen.«

»Was für ein Glück, dass du genau im richtigen Moment hier langgeflogen bist und Jack aufgefangen hast«, sagte Nancy.

»Das war kein Glück«, erwiderte der Drache. »Ich bin gekommen, weil Jack mich gerufen hat.«

»Ich habe dich gerufen?«

»Na ja, irgendjemand hat mich gerufen«, sagte Cadwallader. »Hast du das Horn geblasen?«

»Ich habe gar kein Horn«, sagte ich … aber ich kannte jemanden, der eins hatte. »Ist es zufällig lang und silbern?«

»Zufällig ja.«

Ich hatte es nicht geblasen. Aber Tante Brunhilda.

Es war das Horn, das sie auf unserem Dachboden gefunden hatte. Das sie mir an den Kopf

geworfen und auf dem sie später gespielt hatte,
bevor sie in die Schlacht gezogen war.

Ich musste grinsen, als mir klar wurde, dass
Tante Brunhilda mich versehentlich gerettet hatte.

»Es stammt aus meiner Schatztruhe. Ich habe es
deiner Mutter geschenkt, nachdem sie mir einmal
das Leben gerettet hat. Ich habe Nell gebeten, nie-
mandem zu verraten, dass es Drachen gibt. Dafür
habe ich ihr einen Gefallen versprochen, sollte sie
oder ein Mitglied ihrer Familie jemals in Gefahr geraten. Sie musste nur ins Horn blasen, um mich
zu rufen. Was glaubst du denn, woher ich deinen
Namen weiß, Jack? Ich würde Nells Sohn überall
erkennen.«

Es fühlte sich richtig an, dass Cadwallader her-
geflogen war. Alle, auf die es ankam, waren hier
versammelt.

Und bestimmt, dachte ich und tastete nach
Monsterjagen für Anfänger, gab es irgendeinen Hinweis in diesen wundersamen Seiten, der uns helfen
könnte, die neue Ogerkönigin zu besiegen.

Erschrocken stellte ich fest, dass mein Rucksack
leer war.

Gleich und anders

»Das Buch muss aus dem Rucksack gefallen sein, als ich abgestürzt bin«, rief ich. »Ich muss zurück und es holen, bevor es in die falschen Hände gerät. Zum Beispiel in die von Tante Brunhilda.«

»Nicht nötig«, meinte Nancy.

Sie trat vor und hielt mir ein wohlbekanntes Buch unter die Nase.

»Ich habe es fallen sehen«, sagte sie. »Und was noch besser ist, ich weiß, dass alles in einer geraden Linie nach unten fällt, wenn es nicht aufgehalten wird. Das nennt man Schwerkraft. Ich musste nur auf dem Boden neben Tante Brunhildas Füßen Ausschau halten, um es zu finden. Hier ist es.«

»Nancy, du bist ein Genie!«, rief ich.

»So weit würde ich nicht gehen, aber danke«,

sagte sie und lachte. Dann verstummte sie, als mein Lächeln einem verwirrten Gesichtsausdruck wich.

Nancy hatte recht UND unrecht zugleich.

Das Buch in meinen Händen hieß in der Tat *Monsterjagen für Anfänger*, weil ich es hielt und es sich dementsprechend anpasste. Aber es war nicht meins.

Dieses hier war viel älter, und das Leder war stärker abgewetzt. Außerdem steckten zahllose Zettel zwischen den Seiten.

Ich zog wahllos einige von ihnen heraus.

> Kann es sein, dass die Legenden wahr sind und der Ogerkönig wirklich irgendwo im Wald schläft? Sofort zurück nach Königsruh und nachforschen.

> Ogerkönigin nicht so übel, wie es klingt, oder viel, viel schlimmer? Eichenvolk befragen!

> Bob erinnern, Zutaten für Würstchen im Schlafrock zu besorgen, wenn er morgen einkaufen geht. Jack ist unersättlich!

> Drachen? Welche Drachen?
> Ich kenne keine Drachen!

Ich erkannte die Handschrift sofort.

Sie stand auf allen Geburtstagskarten, die ich bekommen habe, bis die Person, die sie geschrieben hatte, keine mehr schreiben konnte.

»Das verstehe ich nicht«, sagte Nancy. »Wem gehört das Buch? Stoop?«

»Nein«, sagte ich leise. »Meiner Mum.«

Jetzt wusste ich, woher Tante Brunhilda all ihre Informationen über Königsruh hatte. Sie hatte Mums Monsterjäger-Buch auf dem Dachboden gefunden. Vielleicht hatte die Karte sogar zwischen den Seiten geklemmt.

Das Buch musste aus IHRER Tasche gefallen

sein, als sie den Fellball hochwürgte, genau als mein Buch aus MEINER Tasche gefallen war.

Die letzten Zweifel, dass es wirklich Mums Buch war, verpufften, als ich das Foto sah, das auf der Innenseite des Buchdeckels klebte.

Es war ein Abzug meines Lieblingsfotos. Plötzlich begriff ich, warum Königsruh mir so vertraut vorkam. Ich war schon einmal hier gewesen. Ich hatte mich nur nicht daran erinnert, weil ich noch so klein gewesen war. Da saßen wir auf dem Baumstumpf auf dem Marktplatz, mit Kopfsteinpflaster unter den Füßen, und die Spitze des schiefen Uhrturms lugte über Dads rechte Schulter.

Ich wusste, was ich zu tun hatte.

Mit rasendem Herzen schlug ich das Buch auf.

Die Stimme aus der Vergangenheit

»Was ist los?«, fragte Nancy, als mein Kopf sich zu drehen begann. Ich suchte nach der Stimme, von der ich glaubte, dass sie gerade meinen Namen geflüstert hatte.

»Hast du das nicht gehört?«, fragte ich.

»Was?«

Die Stimme kam wieder.

»*Jack.*«

Ich konnte nichts anderes sagen als:

»Mum?«

»*Wer denn sonst, du Dummerchen?*«, sagte sie mit ihrem wohlbekannten Lachen.

Es war so lange her, dass ich es gehört hatte, aber ich hatte ihre Stimme nicht vergessen.

Wie auch?

Die Stimme war in meinem Kopf, aber sie kam aus dem Buch.

Ich konnte nicht sagen, ob ich sie mir einbildete oder ob sie echt war, aber plötzlich verstand ich, dass Mums Geist noch immer in diesem Buch war, und dass sie zurückgekommen war, um mir zu helfen, gerade als ich sie am meisten brauchte.

»Sag mir, was ich tun soll«, bat ich.

Als Antwort blätterte ein leichter Windstoß die Seiten des Buchs um bis zum Bild einer Eiche. Das musste der Baum gewesen sein, der lange Zeit mitten in Königsruh gestanden hatte, bis er gefällt worden und nur sein Stumpf übrig geblieben war.

Die Krone der Ogerkönigin war darin versteckt gewesen – aber nicht nur das.

Ich musterte das Bild mit zusammengekniffenen Augen und sah, dass da auch noch etwas anderes war ... was war das nur?

»Ein Magnet«, sagte Nancy.

Das verstand ich nicht. Die goldene Krone war die Quelle von Tante Brunhildas neuer Macht. Aber was half ein Magnet gegen Gold?

Gold ist nicht magnetisch.*

Wieder lachte Mums Stimme in meinem Kopf.

»Die Dinge sind nicht immer so, wie sie scheinen.«

Wenn ich heute eins gelernt hatte, dann das: Ich musste meinem Instinkt vertrauen.

Ich nahm Nancys Hand und rannte mit ihr zurück nach Königsruh. Ich war mir sicher, dass wir jetzt alles hatten, was wir brauchten, um Tante Brunhilda zu besiegen.

* *Seht ihr? Ich habe sehr wohl in der Schule aufgepasst. Zumindest manchmal.*

Ein Griff ins Loch

Zurück auf dem Marktplatz drohte Tante Brunhilda, die Leute auf dem Rathausdach zwischen ihren riesenhaften Fingern zu zerquetschen, wenn sie ihr nicht sagten, wo ich war. Unterdessen flehte der Ogerkönig sie an, vernünftig zu sein und in Ruhe über alles zu reden.

»Jack, Nancy, los geht's!«, riefen Dad und Stoop. »Wir lenken die fürchterliche Tante ab, während ihr euch in Sicherheit bringt!«

Das Klirren der Waffen und das Stampfen der Füße sagten uns, dass die Schlacht begonnen hatte und Tante Brunhilda sich anschickte, die Angreifer wie Käfer unter ihren übergroßen Nagelstiefeln zu zerquetschen. Cadwallader hielt Wort und half, indem er hierhin und dorthin zischte und sie mit Feuerstrahlen ablenkte.

Nancy und ich rannten zu dem alten Eichenstumpf, knieten uns davor und spähten ins Loch.

Elf Augen blitzten uns entgegen. Aber sie gehörten nicht etwa Mäusen, wie Tante Brunhilda gedacht hatte.

Die elf Augen gehörten sechs plumpen, freundlichen Gestalten mit glänzenden Gewändern und noch glänzenderen rosigen Wangen.* Das war meine erste Begegnung mit dem Eichenvolk.

Die Eiche ist einer der magischsten Bäume der Welt, aber das sollte man ihr lieber nicht sagen, weil Eichen schon eingebildet genug sind. Das kann jeder bestätigen, der etwas Zeit in ihrer Gesellschaft verbracht hat. Die Einzigen, die Eichen noch inbrünstiger loben, sind die Leute vom Eichenvolk. Seit Generationen leben diese win-

* *Eigentlich hätten es zwölf Augen sein müssen, aber eine Gestalt trug eine Augenklappe, weil sie meinte, sie sähe damit schicker aus.*

zigen Geschöpfe als Diener und Beschützer in Eichen. Selbst wenn eine Eiche gefällt wird, lebt das Eichenvolk in ihren Wurzeln weiter. Das Eichenvolk ist freundlich und hilfsbereit und hat es eigentlich gar nicht verdient, in einem Monsterbuch gelistet zu werden. Sein einziger Fehler ist das ständige Schwärmen von Eichen, was nach etwa fünf bis sechs Stunden etwas ermüdend werden kann.

»Bitte entschuldigen Sie die Störung«, sagte ich höflich. »Aber haben Sie da drinnen zufällig einen Magneten?«

Zugkraft

»Zufällig ja, Jack«, sagte eine Frau, die die Anführerin zu sein schien, trat vor und hob grüßend die Hand.

»Woher kennen Sie meinen Namen?«

»Ich habe nur geraten. Meiner Erfahrung nach heißen die meisten Monsterjäger Jack.«

»Abgesehen von denen, die anders heißen«, raunte eine Gestalt hinter ihr, die zum ersten Mal in Erscheinung trat und somit der Gesamtzahl der Augen weitere zwei hinzufügte.

»Abgesehen von denen«, räumte sie ein, »aber die waren nicht gemeint.«

»Was wollt ihr mit unserem Magneten?«, fragte ein anderer vom Eichenvolk und kniff argwöhnisch die Augen zusammen, als wäre er schon einmal auf

Kinder hereingefallen, die sich Magneten ausleihen wollten, und würde es nicht noch einmal tun.

»Ich glaube, dass er uns helfen kann, die tückische Tante zu besiegen, die eure Krone gestohlen hat.«

Diese Erklärung reichte dem Eichenvolk.

Sie verschwanden in die Dunkelheit hinten im Loch und kamen mit dem Magneten zurück. Sie mussten ihn zwischen sich tragen, weil er für einen von ihnen zu schwer war. Sogar für zwei.

»Bevor wir ihn euch für eure edle Mission übergeben, um die tückische Tante zu besiegen, die uns

für Mäuse gehalten hat«, sagte die Frau, »habt ihr doch sicher einen Moment, um euch anzuhören, wie fabelhaft Eichen sind?«

»Nichts täte ich lieber«, sagte ich,* »aber ich habe gerade alle Hände voll zu tun, da die Tante mich töten und die Herrschaft über das Land an sich reißen will. Vielleicht später?«

»Wir bereiten schon mal etwas vor.«

Der Magnet war viel stärker, als ich erwartet hatte. Als wir zum Kampfgetümmel zurückliefen, musste ich ihn mit beiden Händen festhalten, weil der Magnet sofort die Waffen an Stoops Gürtel anzog. Er zerrte ihn über den halben Platz, ihm folgte ein Orkan eiserner Kerzenhalter aus der zerstörten Bäckerei.

»Auf wessen Seite seid ihr eigentlich?«, knurrte Stoop, als er sich unter den fliegenden Kerzenhaltern wegduckte.

Wir hatten keine Zeit, es ihm zu erklären. Ich richtete den Magneten auf Tante Brunhildas Kopf.

* *Das war gelogen.*

Kampf und Flucht

Wenn die Krone der Ogerkönigin wirklich aus Gold war, wäre der ganze Kampf umsonst. Wenn nicht, dann hatten wir immer noch eine Chance.

Der Magnet pulsierte in meinen Händen, während er nach etwas suchte, woran er sich heften konnte.

Dann spürte ich plötzlich einen Ruck, als würde ich angeln und ein großer Fisch hätte angebissen.

»Was glaubst du, wo du hinwillst?«, rief Tante Brunhilda alarmiert und hob die Hände an die Krone, die jetzt wild auf ihrem Kopf zappelte.

Doch der Magnet war stärker. Er riss die Krone aus ihren Händen. Sie kam in Wahnsinnstempo auf mich zugesaust.

Ich wappnete mich für den Aufschlag, weil die Krone auf ihrem Kopf eine beachtliche Größe angenommen hatte, und wenn ich eins nicht war, dann auch nur annähernd so groß.

Ich konnte nur hoffen, dass die Krone geschrumpft war, bis sie am Magneten andockte, damit sie mich nicht umwarf.

Jeden … Moment … Jetzt!

KLONK!

Die Krone war wieder normal groß. Und, noch besser: Die Krone war in unserer Gewalt.

Ohne die Krone schrumpfte Tante Brunhilda in sich zusammen. Schon war sie kleiner als der Uhrturm. Dann war sie kleiner als der Ogerkönig. Dann kleiner als Humbert und dann kleiner als Stoop.

Kleiner als Stoop?

Das konnte nicht stimmen!

Ihr Körper merkte, dass es zu viel war, und wuchs wieder bis zu seiner vorigen Größe.

Um sicherzustellen, dass das so blieb, holte Cadwallader tief Luft und pustete ganz ohne Feuerzeug Flammen auf die Krone, bis die goldene Farbe abblätterte und darunter eine billige Metallkrone zum Vorschein kam. Sie begann zu schmelzen und war schließlich nur noch eine dampfende graue Pfütze.

Tante Brunhilda wusste: Das Spiel war verloren.

Sie blickte um sich auf alle Leute, die sie fassen wollten, und … rannte los.

Sie war erstaunlich sportlich für eine Person in Nagelstiefeln.

»Haltet sie!«, schrie das Eichenvolk.

Genau das hatte ich vor.

Ich sprang wieder auf Cadwalladers Rücken.*

Nancy saß ebenfalls auf, und gemeinsam stiegen wir in die Lüfte.**

»Das werdet ihr brauchen!«, rief Humbert und warf uns sein letztes Wollknäuel zu.

Wir zischten durch die krummen und schiefen Gassen von Königsruh hinter Tante Brunhilda her.

Sie schaute über die Schulter, weil sie Cadwalladers Flügelschlag hörte, und legte noch einen Zahn zu, aber er war schneller.

Sie bog in eine enge Gasse.

Wir schnitten ihr den Weg ab.

Sie wollte sich im schiefen Uhrturm verstecken.

Ich nahm mein Katapult und feuerte einen Stein auf die Glocke, die zu dröhnen begann. Tante Brunhilda rannte mit den Händen über den Ohren wieder heraus, um dem Lärm zu entkommen.

Sie konnte nur auf die offene Straße.

Sie rannte so schnell sie konnte aus Königsruh,

---

* Ich hatte vorher gefragt. Ich bin keiner, der sich einfach frech eine Mitfluggelegenheit ergaunert.
** Ja, auch sie hatte gefragt. Der Drache meinte, kein Problem, da wir zwei immer noch viel leichter waren als ein Traktor, und das will ich auch hoffen!

aber sie würde niemals so schnell sein wie ein Drache, nicht einmal wie ein kleiner.

Cadwallader flog Kreise, während ich sie mit Wolle umwickelte, bis sie so verwickelt und verwurschtelt war, dass sie auf die Nase fiel.

»Du weißt wohl, dass das hier Jack gehört«, sagte Nancy, zog das silberne Horn aus Tante Brunhildas Tasche und reichte es mir.

»Ich hätte euch beide fressen sollen, als ich die Gelegenheit dazu hatte!«, knurrte Tante Brunhilda, die einsehen musste, dass sie endgültig besiegt war.

»Wie gut, dass du es gelassen hast«, sagte ich. »Sonst hätten wir den ganzen Spaß verpasst.«

»Spaß?«, wiederholte sie und verzog das Gesicht, als würde das Wort ihr nicht schmecken. »Gutes altmodisches Ungemach ist mir allemal lieber.«

Sie tat mir fast ein bisschen leid. Aber nur fast. Es ist schwer, Mitgefühl mit jemandem zu haben, der einen nur als schmackhafte Zwischenmahlzeit sieht.

Wieder vereint

Zurück in Königsruh mit Tante Brunhilda im
Schlepptau fanden wir die Stadtbewohner vor, wie
sie die neuen Felsbrocken, die einst Oger gewesen
waren, begutachteten und sich darüber beklagten,
wie unpraktisch es war, immer mit dem Fahrrad
um sie herumfahren zu müssen.

Als Stoop ihnen erklärte, dass die Oger nicht für
immer Steine bleiben würden, waren sie erleichtert.
In ein oder zwei Wochen würde sich die Verstei-
nerung auflösen, wenn ihnen einfiel, dass sie gar
keine Trolle waren, weil sie nicht unter Brücken
lebten. Dann würden sie in ein Erziehungspro-
gramm gesteckt und schließlich wieder in die Wildnis entlassen werden, wenn sie gelernt hatten, nie-
mandem auf die Nerven zu gehen.

»Gut gemacht, Jack!«, rief Dad, eilte auf mich zu und umarmte mich so fest, als wäre ich die letzte Großpackung seiner Lieblingschips im Supermarkt, und wollte mich nicht mehr loslassen.

Es war die beste Umarmung, die ich seit Langem bekommen hatte,* aber ich zappelte mich trotzdem frei. Was würde Nancy denken, wenn sie mich sah?

Ich hätte mir keine Sorgen machen müssen.

Als ich zu ihr rüberschaute, sah ich, dass sie ebenfalls in einer Umarmung steckte.

Nancys Mum hatte ihr zwar zugetraut, dass sie auf sich selbst aufpasste, aber das hieß nicht, dass sie nicht krank vor Sorge gewesen war, als sie nach Königsruh zurückgekehrt war und ihre Tochter nirgends finden konnte.

»Deine Mum wäre so stolz auf dich«, sagte Dad mit kratziger Stimme. »Ich wünschte, sie hätte dich sehen können.«

Ich hörte auf zu zappeln und machte mir keine Gedanken mehr, was irgendjemand dachte. Ich ver-

---

* *Und die einzige Umarmung, aber das ist ein anderes Thema.*

stand endlich, dass Mum nicht wirklich weg war. Sie würde immer bei uns sein.

»Heißt das, du hast nichts mehr dagegen, dass ich ein Monsterjäger werde und nicht weiß, ob ich bis zum Abendessen überlebe, ohne der Hauptgang zu werden?«, fragte ich, als er mich endlich losließ und ich so tat, als hätte ich etwas im Auge und müsste doll reiben, um es herauszukriegen.

»Ich werde niemals aufhören, Angst um dich zu haben, Jack, ich kann nicht anders, so bin ich nun mal. Aber was für ein Dad wäre ich, wenn ich meinen Sohn daran hindern würde, seiner **wahren Bestimmung** zu folgen? Nell hatte recht. Du bist ein geborener Monsterjäger. Das ist mir jetzt klar.«

»Ich wusste doch, dass du es irgendwann einsehen würdest«, sagte ich.

»Zur Schule musst du aber trotzdem weiterhin gehen«, fügte er hinzu. »Es verstößt gegen das Gesetz, wenn Kinder Vollzeit arbeiten.«

»Abgemacht«, sagte ich.

Aller guten Dinge sind drei.

Das sagt man doch so.

Ich zählte die guten Dinge, die mir heute passiert waren:

Erstens: Ich hatte neue Freunde gefunden, die so nett und witzig waren, wie man es sich nur wünschen konnte.

Zweitens: Ich hatte nicht nur meinen verschollenen Dad wiedergefunden, sondern auch meine Mum, von der ich gedacht hatte, ich hätte sie für immer verloren.

Drittens: Es würde noch viele weitere Abenteuer geben.

Alles in allem musste ich zugeben, dass am Ende alles ziemlich gut gelaufen war.

»So läuft es meistens«, sagte Mum.

Und noch ein Schurke

An diesem Abend feierten die Stadtbewohner ein Fest unter den Sternen. Für die Musik sorgte die magische Harfe und für den Kuchen die Kerzenmacherin, die bei diesem Anlass überhaupt nicht mit Zuckerguss knauserte. Stoop bekam so viel gedämpften Kohl, wie er nur essen konnte, und niemand verdarb ihm den Appetit mit dem Hinweis, dass es eben der Kohl war, der zuvor als Munition gegen die Oger benutzt worden war.

Humbert wurde dankbarer empfangen als ein unerwartetes Geschenk, wenn weder Weihnachten noch Geburtstag ist. Endlich hatten alle begriffen, dass er ein Bär war, und alle wollten sein bester Freund sein, weil es in Königsruh noch nie einen Bären gegeben hatte. Sie hätten sich keinen liebenswürdigeren Bären wünschen können.

Sogar für Boffin gab es einen Platz an der Tafel.

Der Ogerkönig hatte ihm einen strengen Vortrag zum Thema »Warum Menschenfressen falsch ist« gehalten und ihn darüber hinaus in den Genuss von Schlagsahne eingeweiht, und der reumütige Oger hatte sein großes Ehrenwort gegeben, keinen der Gäste zu verspeisen, wenn er es sich verkneifen konnte.

Der Einzige, der den Anfang der Party verpasste, war ich. Ich saß allein in einer Ecke und versuchte, meinen ersten Eintrag in *Monsterjagen für Anfänger* zu beenden.

Jeder Monsterjäger auf der Welt würde ihn lesen können, wenn er fertig war.

Ich wollte, dass er gut wurde.

Ich wusste, dass Mum mir geholfen hätte, die richtigen Worte zu finden, wenn ich sie rief. Deshalb hatte ich Dad ihr Buch gegeben, damit er es sicher verwahrte. Ich hatte ihre Stimme nicht mehr gehört und war mir nicht sicher, ob sie echt gewesen war.

Es spielte aber auch keine Rolle. Sie war da gewesen, als ich sie am meisten gebraucht hatte. Doch ich musste in der Monsterjägerwelt meinen eigenen

Weg gehen, und das hieß, dass ich jetzt wieder mein eigenes Buch nutzte.

Sobald Tante Brunhilda in Handschellen abgeführt worden war, hatte ich danach gesucht, und schon bald hatte ich es in den Ruinen des Flohmarkts gefunden. Es war ein bisschen schmutzig, aber es war meins. Ich wusste, dass ich mich ohne dieses Buch immer unvollständig fühlen würde.

Eine neue schreckliche Kreatur hatte nun ihren Platz unter den Kobolden und Klabautern, Schlabberichen und Schreckschrauben, Trippeltrollen und Trappernappern, Riesenfurzdudlern und Schorfigen Haarigen Rotznibblern eingenommen:

Tante Brunhilda

Im Allgemeinen sind Tanten keine Monster. Sie können nerven und peinlich sein und bringen die falschen Geschenke mit. Aber der Großteil von ihnen versucht nicht, die Weltherrschaft an sich zu reißen. Bei Tante Brunhilda ist es anders, vermutlich, weil sie zur Hälfte Ogerin ist. Man könnte einwenden, dass ein halber Oger nur halb so gefährlich wie ein ganzer Oger ist, aber in Wahrheit sind Halboger viel schlimmer. Oger sind zu doof, um großen Schaden anzurichten. Tante Brunhilda hingegen hat nicht nur Anfälle von Größenwahn, sie ist auch noch schlau, und das ist eine tödliche Mischung. Sie ist leicht zu erkennen an ihren Nagelstiefeln, der Pilotenbrille und ihrem Hang, kleine Kinder anzuschreien, weil sie in ihrer Anwesenheit geatmet haben. Es ist unwahrscheinlich, dass sie weiterhin Ärger macht, da sie wegen diverser Vergehen gegen die öffentliche Ordnung für sehr lange Zeit ins Monstergefängnis geschickt wurde, aber wir gehen lieber auf Nummer sicher.

Ich zeigte Dad den Eintrag, als ich mich auf der Party neben ihn setzte. Er sagte, das sei mein bester Aufsatz überhaupt, und fragte, ob er die Seite herausreißen und an die Pinnwand in der Küche hängen dürfe.*

Ich wollte ihn in dem Augenblick nicht daran erinnern, dass wir gar keine Küche mehr hatten.

Ich war mir auch nicht sicher, ob es erlaubt war, Seiten aus dem Buch zu reißen.**

»Ich weiß nicht, was wir ohne dich gemacht hätten, Jack«, sagte der Bürgermeister, zog mich auf die Füße und legte mir den Arm um die Schulter, um für ein Foto für die morgige Ausgabe der **Monsterjägernachrichten** zu posieren. »Ich bin so froh, dass ich einen Experten gerufen habe, als die Lage außer Kontrolle geriet. Bitte, meine Untergebenen, ihr müsst mir nicht danken. Es ist die Aufgabe eines Bürgermeisters, das Wohl der anderen vor sein eigenes zu stellen. Wählt mich!«

---

* *Eltern übertreiben immer, was die Werke ihrer Kinder angeht. Sie können nicht anders.*
** *Stoop erklärte mir später mürrisch, dass es nicht erlaubt war. Jegliche Beschädigung des Handbuchs muss auf Kosten des Monsterjägers repariert werden.*

»Stuss!«, sagte Boffin. »Du hast doch selbst gesagt, wir dürften sie essen. Du hast gesagt, du hättest die fettesten, saftigsten Einwohner von ganz Cornwall. Er hat uns versprochen, einer von euch würde einen Oger eine ganze Woche lang sättigen. Dabei habe ich in meinem ganzen Leben noch nie ein knochigeres Pack gesehen!«

Die eine Hälfte der Stadtbewohner begann, den Oger zu beschimpfen: »Wie können Sie es wagen? Wir sind überaus schmackhaft!«

Die andere Hälfte starrte den Bürgermeister an.

»Beruhigen Sie sich! Das ist dummes Zeug, das kann ich versichern«, beteuerte er, wobei er langsam zurückwich. »Wem wollen Sie glauben? Mir, Ihrem tüchtigen Bürgermeister, oder dem Oger?«

»Dem Oger!«, riefen sie einstimmig.

Der Bürgermeister merkte, dass Leugnen zwecklos war. Sein Geheimnis war gelüftet.

»Du darfst nicht zulassen, dass sie mir etwas antun«, flehte er und klammerte sich an meinen Ärmel. »Es ist nicht meine Schuld. Boffin sollte nur ganz wenige Leute fressen. Ich habe ihm extra eine Liste der lästigsten Personen gegeben, die niemand vermissen würde. Woher sollte ich denn wissen, dass jeder verdammte Oger des Landes in unsere Stadt kommen und sich bedienen würde?«

»Wenn es Sie tröstet: Sie hätten wir auch noch gegessen«, sagte Boffin.

Wenn der Bürgermeister erleichtert war, dass er diesem Schicksal entronnen war, dann zeigte er es nicht. Er hatte anderes zu tun. Zum Beispiel wegzurennen, bevor die Stadtbewohner ihn schnappten und dem Oger als Party-spieß servierten. Er wurde zuletzt gesehen, als er den Hügel in die grobe Richtung von Möglichst-Weit-Weg überquerte.

Die Stadtbewohner flehten Humbert an, ihr neuer Bürgermeister zu werden, der willigte ein, und alle waren glücklich. Die Goldkette stand ihm wirklich außerordentlich gut.

Das Letzte zuletzt

»Königsruh ist eigentlich gar nicht so übel, was?«,
sagte Nancy, als die Ruhe wiederhergestellt war
und das Eichenvolk die Gelegenheit ergriff, jedem,
den es interessierte, die **Zehn spannendsten
Fakten über Eichen** vorzutragen.*

»Ich könnte mich dran gewöhnen«, gab ich zu.

»Gut«, sagte sie. »Dann ist es entschieden.«

»Was?«

»Dass ihr hierher zieht. Euer altes Haus liegt in
Schutt und Asche. Du hast keine Freunde in deiner
blöden alten Schule. Überleg mal, wie schön es
wäre, wenn du Stanley Jenkins nie wiedersehen
müsstest. Ich kann den Typen nicht ausstehen, und

---

* *Es interessierte niemanden.*

dabei kenne ich ihn noch nicht mal! Es gibt keinen einzigen Grund, warum du nicht einfach hierher ziehen solltest. Das haben Mum und ich auch gemacht.«

Nancys Vorschlag war ziemlich logisch, musste ich zugeben. Mum war in Königsruh aufgewachsen, und ich war hier zum Monsterjäger geworden. Ich fühlte mich hier gut aufgehoben. »Was sagst du dazu, Dad?«

Dad tat so, als müsste er darüber nachdenken, aber sein Lächeln sagte mir, dass er sich bereits entschieden hatte.

»Warum nicht?«, sagte er.

»Dieses ganze Umgeziehe soll aber nicht unserer Monsterjägerei in die Quere kommen!«, meldete sich Stoop zu Wort, der seine x-te Portion Kohl mampfte und sich zu spät die Frage stellte, warum er etwas sandiger schmeckte als sonst. »Du bist noch immer mein Lehrling, vergiss das nicht. Wir haben eine gesetzlich bindende Abmachung.«

»Wir?«, fragte ich. »Ich dachte, Sie wollten sich von der Monsterjagd zurückziehen?«

»Ein Weilchen kann ich noch arbeiten«, meinte Stoop. »Bis du fertig ausgebildet bist.«

Ich glaube, in Wahrheit wollte er auf den Spaß nicht verzichten. Er wollte es nur nicht zugeben.

Ich versicherte ihm, dass ich bereit für das nächste Abenteuer war. Stoop sagte, das sei gut, weil es nämlich gerade schon losging.

Er pikste mit der Gabel in Richtung des schiefen Uhrturms.

Ein Pinguin stand dort und hielt einen Brief im Schnabel.

Das musste einer der berühmten Briefpinguine sein, die er erwähnt hatte.

»Sieht so aus, als hätte die Internationale Monsterjäger-Vereinigung schon die nächste Mission für uns«, sagte Nancy, denn es stand außer Frage, dass sie dabei sein würde.

»Kann ich auch mitmachen?«, fragte Cadwallader und setzte sich vorsichtig auf die Rückenlehne meines Stuhls.

»Wie kann ich da Nein sagen?«

Ich musterte das Buch, das neben mir auf dem Tisch lag. Der Titel auf dem Buchdeckel lautete nicht länger *Monsterjagen für Anfänger*.

Denn ich war kein Anfänger mehr.

Der Titel lautete jetzt …

Na, das muss bis zum nächsten Mal warten. Selbst Monsterjäger müssen irgendwann schlafen gehen, wenn ihnen am nächsten Morgen eine lange Reise bevorsteht.

ENDE

Eine Nachricht
aus der Monsterjäger-Zentrale

Dieses Buch richtet sich ausschließlich an angehende Monsterjäger. Deshalb heißt es ja auch *Monsterjagen für Anfänger*. Wenn es für kleine Wichtigtuer wäre, hieße es *Monsterjagen für kleine Wichtigtuer, die sich lieber um ihren eigenen Kram kümmern sollten*. Falls du dazugehörst, mach dir keine Sorgen. Vielleicht hast du dieses Buch im Zug gefunden, unter einem Busch oder es wurde dir versehentlich zugestellt. So was kommt vor.

(Jedes Buch, das falsch zugestellt wurde, sollte umgehend über einen Briefpinguin zur offiziellen Monsterjäger-Zentrale in Llanfairpwllgwyngyllgogerychwyrndrobwllllantysiliogogogoch zurückgeschickt werden.)

Möglicherweise ist es zu spät, und du hast es bereits gelesen. In diesem Fall fragst du dich vielleicht:

Ist Monsterjagen was für mich?

Wir haben uns einen Test ausgedacht, um neue Monsterjäger zu finden. Kannst du Stinker von Stonkern unterscheiden? Kannst du einen Riesenfurzdudler austricksen (oder ausfurzen)? Hast du das Zeug dazu, ein Monsterjäger zu werden? Blättere um und finde es heraus ...

DER TEST

**Sieben Fragen (eine für jede Meile, die du läufst,
wenn du Siebenmeilenstiefel trägst):**

FRAGE EINS

**Du bist auf dem Weg zum Frühstück und siehst, dass die Frau,
die behauptet, deine Tante zu sein, drauf und dran ist, von
einem Oger verputzt zu werden. Was tust du?**

A: Hat jemand was von Frühstück gesagt? Da fällt mir ein – ich
habe seit mindestens einer halben Stunde nichts mehr gegessen!
Äh, wie war noch mal die Frage?

B: Klingt beunruhigend, aber ich muss doch nicht kämpfen,
oder? Wollen wir uns nicht alle hinsetzen und ein schönes Puzzle
machen?

C: Seht bloß zu, dass ihr mich … äh, sie … schleunigst rettet,
sonst SETZT ES WAS! Aufgefressen zu werden, würde meine
ganzen fiesen Pläne durchkreuzen.

D: Ich würde mir mein Katapult schnappen und die Tante befreien. Das ist der Job eines Monsterjägers, egal ob er die Person,
die gefressen werden soll, mag oder nicht.

FRAGE ZWEI

**Es hat neun Augen, dreieinhalb Nasen, eine knallgrüne Zunge
von der Länge eines Gartenschlauchs, und sein Kopf sitzt
verkehrtherum auf den Schultern. Was ist das?**

A: Vermutlich ich, nachdem ich zu viel Berserker-Bräu getrunken
habe. Keine Sorge, nach einem schönen Nickerchen bin ich wieder wie immer.

B: Ich will gar nicht wissen, was das ist. Könnt ihr es bitte wegschicken, bevor das Vieh sich in meinem Strickbeutel einnistet?

C: Keine Ahnung, aber es muss sich UNBEDINGT meiner Monsterarmee anschließen.

D: Moment mal, ich schlage schnell in *Monsterjagen für Anfänger* nach. Dafür ist das Buch schließlich da … Aha, da ist es: Eine neunäugige, dreieinhalbnasige, knallgrüngartenschlauchzungige verkehrtköpfige Bestie. Hätte ich mir eigentlich denken können.

FRAGE DREI
Was ist der wichtigste Unterschied zwischen Riesenfurzdudlern und Zwergfurzdudlern?

A: Bin ich ein wandelndes Lexikon, oder was? Findet es doch selbst heraus und lasst mich in Ruhe, ich habe mir gerade einen Imbiss gemacht.

B: Riesenfurzdudler malen hervorragende Aquarelle.

C: Furzdudler sind allesamt nutzlose Burschen. Sie haben nicht mal Münder, können also auch niemanden beißen. Was bitte bringt ein zahnloses Monster?

D: Riesenfurzdudler haben keinen Mund und essen mit dem Hintern, Zwergfurzdudler haben keinen Hintern und kacken mit dem Mund. Man sollte also nie einen Zwergfurzdudler nach dem richtigen Weg fragen, sonst muss man hinterher unter die Dusche.

FRAGE VIER

Zum Mittagessen gibt es Eintopf. Du bist dir nicht sicher, was – oder wer – darin ist. Was tust du?

A: Ich haue rein. Man kann nie wissen, wann man das nächste Mal etwas zu essen bekommt. Ein Monsterjäger muss sich stärken.

B: Könnte ich vielleicht lieber Honig haben? Es hat Wochen gedauert, bis meine Höhle nicht mehr nach Eintopf (und nach weiß Gott was noch) gestunken hat, als die Oger endlich weg waren.

C: Frittierte Kniescheiben sind mir zwar lieber, aber solange es nicht schmeckt wie der Fellball, den eine Katze hochgewürgt hat, nehme ich gerne eine Portion.

D: Das Risiko gehe ich lieber nicht ein. Ich will schließlich Menschen retten und nicht versehentlich aufessen. Nächstes Mal packe ich mir ein Lunch-Paket ein.

FRAGE FÜNF

Wer ist dein Lieblings-Jack aller Zeiten?

A: Jack der Riesentöter. Der hatte das Glück, in einer Zeit zu leben, in der man furchterregende Monster einfach um die Ecke bringen konnte, ohne dass es irgendjemanden gestört hat.

B: Mein guter Freund Jack, der jüngste und beste Monsterjäger von allen, der die Oger besiegt hat, die Königsruh unterwerfen wollten.

C: Es gibt keinen guten Jack. Keinen einzigen. Im Übrigen hasse ich alle Jungen, wie auch immer sie heißen. Und Mädchen mag ich auch nicht. Ich mag nur Monster.

D: Ich nehme auch Jack den Riesentöter, aber nur, weil er diese ganze Monsterjäger-Sache begonnen hat, und wo wäre ich jetzt, wenn es ihn nicht gegeben hätte?

FRAGE SECHS

Du liegst im Bett. Du siehst zum Fußende und bemerkst zwei klobige Füße, die unter der Decke hervorschauen. Was tust du?

A: Mit dem Hammer draufhauen. Bei Monstern sollte man lieber kein Risiko eingehen.

B: Ich frage höflich, ob der Besitzer der Füße nicht woanders schlafen könnte, weil ich mich nicht so gut entspannen kann, wenn ein Monster in meinem Bett liegt.

C: Zu mir legt sich garantiert kein Monster ins Bett, wenn ich nach einem anstrengenden Tag, an dem ich anderen Leuten das Leben schwer gemacht habe, endlich schlafen will!

D: Vermutlich sind es meine eigenen, aber zur Sicherheit schaue ich nach. Bei Monstern kann man nie wissen.

FRAGE SIEBEN

Was würdest du tun, wenn am Mittsommerabend um Mitternacht ein Poltergeist vor der Tür steht?

A: Ihm ordentlich eins überpoltern. Ja, ich weiß, das dürfen wir nicht, aber man kann hinterher immer noch sagen, dass es keine Absicht war.

B: Ich weiß es nicht, aber mein Herz poltert schon, wenn ich nur daran denke.

C: Ich bitte ihn, bei meinem üblen Plan mitzumachen, die Welt zu unterwerfen. Holterdiepolter!

D: Nichts. Poltergeister sind nur bei Tageslicht gefährlich, das weiß doch jeder.

Wie hast du abgeschnitten?

ÜBERWIEGEND A: Du bist eindeutig ein Monsterjäger, aber du bist auch mindestens 200 Jahre alt, daher ist es vielleicht an der Zeit, in Rente zu gehen und dir einen neuen Lehrling zu suchen. Dann hast du endlich Zeit für deine Hobbys. Zum Beispiel essen. Und murren.

ÜBERWIEGEND B: Du meinst es gut, aber fürs Monsterjagen bist du nicht gemacht. Du bevorzugst ein ruhiges Leben in deiner Höhle, wo du strickst und magische Harfe spielst.

ÜBERWIEGEND C: Mal ehrlich, du bist Tante Brunhilda, oder? Dann zieh Leine! Es ist die Pflicht eines Monsterjägers, Menschen vor blutrünstigen Geschöpfen zu retten, und nicht, mithilfe dieser Geschöpfe die Weltherrschaft an sich zu reißen.

ÜBERWIEGEND D: Du bist ein Naturtalent. Du kannst mit nur einem Blick Stinker von Stonkern unterscheiden, und du zögerst nicht einzugreifen, wenn Menschen dich brauchen. Selbst wenn sie manchmal nicht besonders dankbar sind.

Herzlichen Glückwunsch zur Teilnahme
an diesem Test.

Als Belohnung / Bestrafung dürfen wir dir
ankündigen, dass du dich mit Jack, Nancy und
Stoop auf ein weiteres Monsterjäger-Abenteuer
begeben wirst! Bist du bereit?*

Monsterjagen für Fortgeschrittene

Bald erhältlich (nähere Informationen werden
per Briefpinguin geliefert)

* Dummerweise hast du dich mit der Lektüre
dieses Buches bereits auf das nächste Abenteuer
eingelassen und den sicheren Tod in Kauf genommen. Tut uns leid. (Aber wir haben dir gesagt,
du sollst das Kleingedruckte lesen.)

Spannend,
magisch,
einfach witzig!

Kommandozentrale
Schrottplatz!